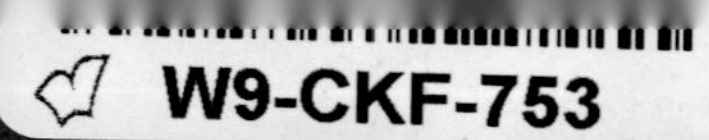

детектив–событие

Что такое детектив–событие от Евгении МИХАЙЛОВОЙ?

Её истории покоряют с первой страницы. Многолетний опыт журналистских расследований помогает ей выбирать острые, как лезвие темы – и населять романы неординарными вызывающе яркими персонажами. Но самое главное – каждый из героев получает в финале то, чего заслуживает. Потому что истина и любовь должны побеждать всегда!

детектив – событие

Евгения

Михайлова

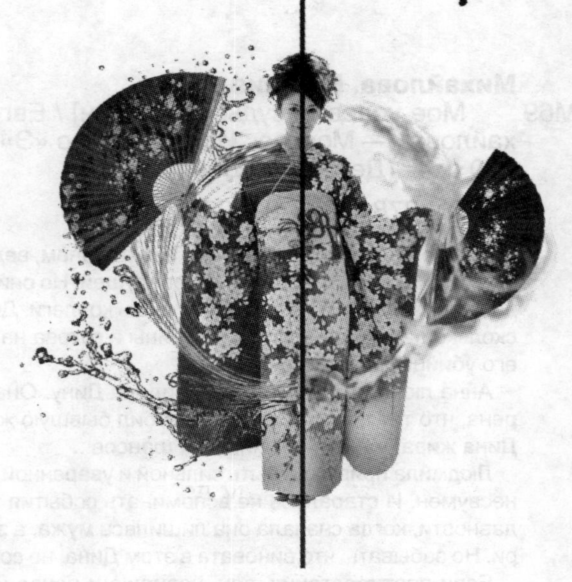

МОЕ УСЛОВИЕ СУДЬБЕ

Москва

2016

УДК 821.161.1-312.4
ББК 84(2Рос=Рус)6-44
М69

Оформление серии *С. Груздева*

Михайлова, Евгения.

М69 Мое условие судьбе : [роман] / Евгения Михайлова. — Москва : Издательство «Э», 2016. — 320 с. — (Детектив-событие).

ISBN 978-5-699-91195-0

Дина считала Артема своим Пигмалионом, ведь благодаря ему она стала известной телеведущей. Но они с Артемом давно развелись и теперь всего лишь коллеги. Дина уже несколько лет вдова другого мужчины и готова на все, чтобы его убийца был найден...

Анна любила Артема и ненавидела Дину. Она была уверена, что тот до сих пор не разлюбил бывшую жену и, пока Дина жива, у Анны нет никаких шансов...

Людмила привыкла быть сильной и уверенной в себе бизнесвумен. И старалась не вспоминать события трехлетней давности, когда сначала она лишилась мужа, а затем дочери. Но забывать, что виновата в этом Дина, не собиралась...

Если противостоишь злу, насилию и ненависти, невозможно остаться в белых перчатках. Но главное — сохранить чистоту в душе...

УДК 821.161.1-312.4
ББК 84(2Рос=Рус)6-44

ISBN 978-5-699-91195-0

Все события и персонажи романа вымышленны

Часть первая

НАЗАД

Эта женщина в окне
В платье розового цвета
Утверждает, что в разлуке
Невозможно жить без слез.

Булат Окуджава

Глава 1

Дина сидела на темно-лиловом мягком диване и смотрела на бесконечно пустую, обнаженную стену. Она не могла отвести взгляд. Не могла встать или повернуть голову в другую сторону. Когда стемнело, Дина не смогла включить свет. Ей казалось, что она вся сейчас — мозг, память. Нельзя тратить силы даже на слишком глубокий вдох. Нужно, не поднимаясь, начертить взглядом на этой голой стене карту того, что случилось с ними со всеми. С ней, Вадимом, с этой стеной и, главное, с зеркалом… Дину не оставляла мысль, что дело именно в зеркале. Ведь оно видело больше, чем она.

В эту небольшую, двухкомнатную, очень уютную, теплую и светлую квартиру в одном из немногих зеленых мест Москвы на Юго-Западе они с Вадимом переехали два года назад. Он купил квартиру сразу после их свадьбы. Они вдвоем взволнованно выбирали: чтобы и добираться удобно в любое место, чтобы район потише, чтобы в окна смотрели деревья, а под ногами была трава рядом с подъездом. И, конечно, чтобы хватило денег, которые они получили, продав две свои однушки.

Дина и Вадим познакомились в новостной редакции частной телекомпании, которая принадлежала первому мужу Дины, опытному телемагнату, сильному, властному человеку, всегда позволяющему себе право независимого голоса. Времена бывали разные, ему угрожали, его шантажировали, на него покушались, но Артем понимал, что он не просто человек, а дело. И его страх, приспособленчество — это смерть дела, что гораздо трагичнее в глобальном масштабе, чем смерть одного человека. Во имя дела он стал и серьезным финансистом. Право независимого голоса может держаться лишь на таком цементе, как деньги. Иначе сметут.

Дина была жемчужиной в тщательно подобранном коллективе. Выпускница факультета журналистики МГУ, она обладала всеми качествами, которые нужны для того, чтобы маленькая авторская передача стала сенсацией. Дина сама писала тексты, всегда была взволнованной и эмоционально яркой. И ее особенную красоту любила камера. Передача Дины длилась ровно пять минут, но пользовалась популярностью и держалась на плаву уже пять лет. Запись эфира на следующий же день разносилась по Интернету, редакция получала восторженные отклики от просвещенной аудитории и самые дорогие для журналиста отзывы: звонки простых, в чем-то очень несчастных людей, которым показалось наконец, что их заметили, что на их защиту встали. «Ох. Спасибо. Такая девочка… Я плакала потом всю ночь. Носки вот вяжу этой журналистке», — говорила какая-нибудь бабушка. Но бывали и оскорбления, и грязь, и агрессивная зависть. Обратная сторона успеха.

А семейная жизнь Дины и Артема потерпела крах. Для семейной жизни они оба были слишком независимы. Когда развелись, Дина поставила бывшему мужу условие: никаких денег, кроме зарплаты. «Иначе уйду из телекомпании». И переехала в бабушкину однокомнатную квартиру на окраине Москвы.

И Артем, и Дина были настолько профессионалами, что мучительный разрыв — ведь они оба оборвали по-прежнему страстное влечение во имя мифической свободы личности — не сказался на их совместной работе. На трудовом фронте они остались незаменимыми друг для друга.

Дина не знала, как переживает их расставание Артем, он всегда делал шаг только вперед и не оглядывался. А она… Ей было очень тяжко. Возвращалась домой, отключала телефоны и металась в тоске, боялась ночи, подушки, сна. Плакала навзрыд. Не от любви, а потому, что не знала настоящего одиночества. Артема было так много в ее жизни, что она сначала рвалась, чтобы вздохнуть на свободе, а потом оказалось, что вроде бы только муж заполнял ее жизнь. Казалось, без него дышать невозможно. Дина вставала задолго до рассвета, чтобы привести себя в порядок, чтобы даже гример Надя ничего не заметила. А покрасневшие глаза — так это общая проблема. Софиты…

Так она и жила. Больные вечера и ночи, полноценный рабочий день, заполненный вдохновенным гневом и вдохновенным лиризмом. Дина чувствовала свою аудиторию, умела с ней говорить, как никто, что-то объяснить, дать бой тем, кто, болтаясь у этой, столь во многом обездоленной аудитории на шее, объявляет себя властелином жизней. Ее большие темные глаза, которые на экране выглядели еще выразительнее, чем в жизни, смотрели на зрителей так, что каждый чувствовал себя ее единственным слушателем, молчаливым собеседником. Писали программу, как правило, не больше двух дублей. Каждый около получаса. Оставляли при монтаже пять минут. Знаменитые, любимые всеми пять минут.

После записи Дина тщательно смывала грим, расчесывала укладку, надевала джинсы, джемпер, куртку с капюшоном и отправлялась домой. Возле дома заходила иногда в магазин за какой-то готовой едой в пластиковых упаковках. Покупала кофе, молоко, фрукты. Ее редко узнавали здесь, в этом отдаленном районе, мало кто и смотрел их частный канал. Большинству хватало федеральных.

Но однажды Артем объявил редакции, что уволил заведующего из-за «неспособности к развитию». Был у Артема такой жестокий и окончательный приговор. И на следующий день вошел утром в комнату редакторов, где Дина правила свой текст, новый заведующий. Потом они с Вадимом часто вспоминали то утро. Как он вошел…

В комнате было несколько человек, еще никто не произнес ни слова, Дина просто почувствовала, как что-то изменилось, как регулярная деятельность вдруг прекратилась. Люди перестали стучать по клавишам, буднично переговариваться и даже начали иначе дышать. Дина подняла голову и увидела высокого кареглазого мужчину, который смотрел, улыбаясь, именно на нее. И сказал ей: «Здравствуйте, Дина», а потом уже общее приветствие всем:

— Доброе утро, коллеги. Я — новый заведующий, прошу прощения за это слово, оно мне самому не нравится. Просто так написано в контракте. А вообще, я просто ваш новенький, зовут меня Вадим Николаевич Долинский. Надеюсь, вы поможете мне войти в курс дела, посвятите в свои планы. Пока я хорошо знаком только с творчеством нашей звезды. Исключительно как влюбленный зритель.

— Ну и заявочки у вас, гражданин начальник, прошу прощения и за эти слова, — улыбнулся второй ведущий Дима, который готовил выпуск на завтра, — так сразу объявили, что все остальные, кроме Дины, для вас просто тьфу.

— Нет, конечно. Ни в коем случае. Я просто выступил как зритель. Воспользовался, так сказать, случаем. А как сотрудник редакции я немного имею представление о том, что делаете вы все, а что будем делать дальше, решим вместе. Очень надеюсь на вашу помощь.

И потом какие-то дни, довольно много дней они просто общались по работе, Дине было легко с ним обсуждать все вопросы. Вадим умел замечать такие тонкие вещи, делать мягкие замечания, на первый взгляд мелкие, но они меняли все… И ничего не происходило, все было, как обычно у нее без Артема. Только… Такое значительное «только», о котором она даже не думала. Старалась не думать. Вечера и ночи стали другими. Она вспоминала прошедший день и вновь чувствовала, как ласкает ее и греет карий горячий взгляд. А ведь Вадим вовсе на нее и не пялился. О них даже никто не сплетничал. Но что-то между ними было, об этом знала только она. Но даже не думала о каком-то продолжении того, чего на самом деле вроде и нет, не хотела никаких продолжений. Пусть так.

...Вдруг в прихожей, где тоже еще не был включен свет, раздался сначала шорох, потом шум, какой бывает при борьбе без звука. Дина резко встала, зажгла в комнате люстру и выбежала в прихожую, по пути нажимая остальные включатели.

Глава 2

Через четыре месяца совместной работы Дина и Вадим вроде бы случайно вышли из редакции вместе. Было уже темно, шел дождь. Дина надвинула капюшон почти на глаза. Артем когда-то говорил, что он ненавидит женщин в капюшонах. Они напоминают ему американское тайное общество ку-клукс-клан, а когда переходят дорогу, не в состоянии посмотреть ни вправо, ни влево. «Задумается о своей кухне и прет напролом под колеса, — раздраженно говорил Артем. — Имел сегодня шанс раздавить как минимум трех». Дина никогда не носила куртки с капюшоном, когда была женой Артема. У нее просто не было такой одежды. Она выходила по утрам в элегантных полушубке, манто, плаще, летом — в том платье или костюме, в которых будет записываться, — очень скромных, достаточно закрытых, с юбкой на три пальца ниже колен, ровно до щиколоток или в брюках, — и баснословно дорогих. Что было понятно любому. Она делала несколько шагов к «Мерседесу» с водителем, который открывал ей дверь. И хотя она была бледная, совсем без косметики, ни у кого не возникало сомнений, что эта женщина на миллион долларов. Бренд своего мужа и его дела. Дина и сейчас надевает на запись кое-какие из тех вещей. Других не покупала. Но однажды Артем принял очередную передачу и попросил ее остаться в кабинете, когда все вышли.

— У меня просьба. Точнее, распоряжение. Отнеси в мусорный бак это черное платье. И серый костюм. Дальше я буду говорить, что еще. И в порядке административного приказа. Могу и на бумаге, если ты хочешь позориться и смешить людей. Раз в три месяца ты будешь получать, скажем так, спецодежду. Никак не хочу ущемить твою самодостаточность, но ты все же в моем проекте. Галатея, грубо говоря. Твои страшные куртки оставляю на твоей женской совести. Ты в них едешь не в мой дом. Есть возражения?

— Нет. Будет сделано, мой Пигмалион, — шутливо отдала честь Дина.

И после того разговора раз в три месяца курьер доставлял ей красивую коробку со «спецодеждой», она послушно отдавала дворникам забракованную Артемом вещь, в которой уже нельзя было появляться на экране. А «страшные куртки» спокойно уживались и уживаются с ее женской совестью. Более того, она, как те женщины, которые переходили Артему дорогу, рискуя быть раздавленными, чувствовала себя в смешной безопасности. Ее никто не замечает, не узнает, она мало кого видит.

И Вадима тогда увидела, только когда он обогнал ее и встал на пути.

— Вы на машине? — спросил он.

— Нет, на метро.

— Можно вам предложить свои услуги водителя?

— Вам вряд ли это будет по пути. И я далеко живу.

— Ничего прокачусь, посмотрю ваше далеко.

В машине они продолжили разговор на рабочие темы. С Вадимом было легко и приятно говорить: он умел слушать, понимал то, что мало кто понял бы. Дина подумала о том, что впервые встречает мужчину, равного по уму Артему. И… совершенно другого. Она не сразу заметила, что они проехали значительную часть пути, центр давно остался позади, и машина явно движется к ее району. Но Вадим не спрашивал, куда ехать! Она посмотрела на него вопросительно. Он явно прочитал вопрос и ответил тоже без слов. Пожал плечами. И тогда Дина позволила себе признать, что все, что ей казалось, было на самом деле. И это понимание — самое яркое событие за весь срок кромешного одиночества без Артема.

Какое-то время они ехали молча. Дождь стучал в окно и по крыше машины. Вадим вдруг съехал на обочину уже пустынной проезжей части. Ее дом был в нескольких кварталах. А здесь начинался маленький дикий парк из фруктовых деревьев, тополей, берез. Дине рассказали соседи, что здесь когда-то была деревня, помещичий дом с большим фруктовым садом. Все исчезло, а кусочек сада уцелел. Только это уже потомки тех, былых деревьев.

— В детстве я больше всего любил гулять под дождем по лужам, — произнес Вадим. — Дина, у меня такое сумасшедшее предложение — выйти и прогуляться под этой стихией. По воде, как посуху… Макияж вы смыли, а капюшон вашей куртки…

— Как у ку-клукс-клана? — быстро переспросила Дина.

— Нет, — ничуть не удивился Вадим. — Как у Красной Шапочки, которая несет бабушке пирожки. Если бы она, конечно, тоже предпочитала черный цвет.

Дина вдруг легко рассмеялась и первой выпрыгнула из машины. Она не стала надевать капюшон, а подняла голову к щедрым каплям дождя, приоткрыла рот, пила прохладную влагу. Дождь смывал усталость, горечь, хронические ожоги — не от софитов, а от того, что Дина видела вокруг не глядя — с ее глаз. Это было именно то, что ей так давно было нужно…

— В этом вашем страшном-страшном лесу из десяти деревьев волки, случайно, не водятся?

— Давайте посмотрим, — азартно воскликнула Дина. Ей так хотелось продолжить эту странную, внезапную, какую-то нереальную прогулку…

— Нам удобнее будет перейти на «ты», — сказал Вадим. — Потому что я тебя возьму сейчас за руку. Грязь довольно скользкая.

Они прошли пару метров, шагая в такт шуму дождя, вдыхая свежесть, наслаждаясь темнотой, как уютным убежищем для двоих. Дина все же поскользнулась. Вадим поддержал ее, потом легко притянул к себе. Она смотрела на его мокрое лицо снизу вверх и удивлялась его красоте. И тут они оба услышали странный звук — то ли стон, то ли хрип… Дина вздрогнула.

…Она вспомнила сейчас тот вечер и ту ночь, которые связали их так крепко, но так ненадолго, опять ее затопила волна этого бесконечного, безысходного томления, и сердце застонало, как будто в нем медленно и жестоко повернулся осколок зеркала… Дина на мгновение прижала ладони к лицу, к вискам, глазам, зажала рот, чтобы не вздумал всхлипнуть. И опустилась на колени перед огромным сенбернаром, который с упорством и мощью совершенного зверя пытался поставить себя на крупные прекрасные лапы, преодолевая протест и боль давно и безнадежно поврежденного позвоночника.

— Лорд, мой дорогой, я с тобой, ты сможешь.

Дина просто стояла на коленях рядом и боялась, как всякий раз, что он не справится. А помочь ему невозможно, не только потому, что они равны по весу, но и потому, что он не даст. Может укусить от отчаяния и оскорбленной гордости. Она ему нужна как родная душа. Для поддержки, любви и восхищения.

С Лорда и благодаря Лорду тогда просто и естественно началась их совместная жизнь с Вадимом… И вот теперь они остались вдвоем, без Вадима.

— Лордик, — прошептала Дина, — я так тебя люблю. Я так в тебя верю. Мы со всем справимся. Мы во всем разберемся, да, мой дорогой? Мне это очень нужно: все понять.

Пес посмотрел на нее своими невыразимо прекрасными глазами и встал. Это был его ответ: «Все ради тебя».

Глава 3

Домашний кабинет Артема нисколько не отличался от его рабочего кабинета, оборудован был теми же профессионалами, только за его счет. Телевидение — вещь круглосуточная, Артем не мог ни на секунду ослабить контроль. У него и машина оборудована так, что он, и находясь в дороге, может связаться с кем угодно и посмотреть все, что нужно. Он посмотрел дома в записи завтрашнюю передачу с Диной, одобрительно кивнул, откинулся на спинку кресла, допил виски, вспомнил тот день.

Это было три с половиной года назад. Он тогда давно уже мысленно вычеркнул из рабочих планов заведующего редакцией, в которой работала Дина, искал замену. Артем представлял себе этого нового работника, как будто точно знал его. Симпатичный, обаятельный, демократичный человек с железным внутренним стержнем. Не быть обаятельным и демократичным в компании мог только сам Артем. Дело требует не просто жесткости, но и жестокости. Новый заведующий редакцией должен был безоговорочно принять концепцию, заинтересоваться лично и внести что-то свое. Он обязан был изменить то, что все воспринимали как данность, как догму. Но никаких резких перемен зритель заметить не должен, только что передачи стали лучше, современнее, созвучнее настроениям. И потому не надоедали. Именно настроениям, потому что время всегда принесет и трагедии, и фарсы, и поводы для умиления. Но главное, нужно улавливать что-то в подсознании людей. Что больнее, что нетерпимее, что есть надежда и ожидаемая радость. Исполнители для такого руководителя есть. Артем, как всегда, прежде всего представил себе вдохновенное и страстное лицо Дины на экране. Она на экране так отличается от самой себя в реальной в жизни… Нет, в жизни она так же красива, даже привлекательнее, чем на экране, потому что по-женски желанна. Но в жизни это просто женщина, а не богиня истины, как в эфире. Исполнитель — для нее, конечно, условное определение. Она сама свои тексты ловит не только из информации, но из многих вздохов. Но она очень организованна, ответственна, и, если ей предложат немного откорректировать направление, сразу поймет, что надо делать.

Да, все было у Артема для нового идеального руководителя этой самой любимой редакции, но не находился нужный человек. Он просматривал разные каналы, он пролистывал разные газеты, просил коллег рекомендовать, если кто-то есть на примете, даже дал объявление, хотя не верит в эту систему: ему казалось, что себя предлагают только неудачники. Артем не знал никогда, что такое — быть невостребованным. В результате люди приходили. И вроде профессионалы, и вроде подходящие… Подошли бы всем, кроме Артема. Того человека не было. Артему стало казаться, что того самого идеального сотрудника, которого он ждет, и вовсе не существует. Насмотревшись и начитавшись всего, Артем приходил к пессимистичному выводу: таланты исчезают. Черт их знает, то ли все уехали, то ли людей чем-то не тем в детстве кормят, но факт остается фактом: придется брать кого-то на безрыбье, чего Артем всегда избегал. Но и оставить прежнего заведующего никак. Любой руководитель, конечно, считал бы, что человек справляется, но для Артема ненавистно слово «инерция». А это был именно тот случай. И вообще, Артем своих решений не меняет. Никогда. Даже с Диной... Это имя только в таком контексте заставляло Артема вспоминать о том, что у него есть сердце. Кто знает, может, именно поэтому он пошел на расставание.

Дина просто рвалась на свободу, которую не собиралась никак использовать, бездумно, он легко бы ее удержал. Чувствовать сердце — это одна жизнь, делать дело и руководить судьбой — совсем другая. Его жизнь. Еще бы несколько лет брака с Диной, и они бы стали, как говорится, одним целым. Он бы заразился ее гипертрофированными эмоциями: жалостью, воспаленной любовью ко всему живому, яростным гневом по отношению к виновникам чьих-то бед, к преступникам, которые к ней не имеют никакого отношения. Это хорошо в работе. Он это использовал на полную мощь в проекте, созданном специально под нее, но это не нужно рядом. Дина умеет быть сдержанной и корректной, не скандалит и не рыдает ни по какому поводу. Но тот, кто ее любит, — а он, Артем, конечно, ее любит, как ему дано, — не может не чувствовать, что она — вулкан, который просто делает вид, что спит. А на самом деле лавина страстей сна не знает. И это страсти по справедливости и гармонии существования. Хотя, конечно, в ее прекрасном организме есть и настоящая женская страсть. В этом месте Артем опять почувствовал сердце и жаркую волну во всем теле. Но он сделал выбор. И уверен, что правильный. Теперь все на местах.

А тогда, три с половиной года назад, к нему пришел по рекомендации человек. Вадим Долинский. Рекомендация была так себе, не очень. Артем любил переманивать лучших сотрудников конкурирующих каналов, а этого уволили якобы за излишнюю независимость. Но их всех увольняют за «независимость», а возьмешь, оказывается, просто понтовый индюк, который возомнил себя самым талантливым и лучшим. А в работе считает, что ему требуется лишь изрекать истины, а пахать за него будут кони. Конечно, у Артема есть профессионалы для любой работы, в том числе и те, которые пашут, как кони, чтобы отшлифовать вдохновение мастера. Но нужен такой пустячок, как мастер. Нужен человек, который работает не за деньги, а потому что не может этого не делать. Для которого возможен полет. И который видит команду, уважает ее, считается с ней.

И вот он вошел к нему в кабинет однажды утром, этот Долинский. И пока шел к его столу от двери, пока они обменивались рукопожатиями, начинали общий, поверхностный разговор, Артем понял совершенно отчетливо: это то, что ему нужно. Вот прямо как по индивидуальному заказу, именно для такого руководителя, как Артем, для такого проекта, для такой команды. Он мельком посмотрел документы, резюме. Все было уже неважно. Он спросил:

— Когда сможете приступить?

— Завтра, — улыбнулся Вадим. — Я две недели безработный.

Они попрощались, как люди, уже сработавшиеся, симпатичные друг другу. Вадим ушел, Артем долго смотрел на закрывшуюся за ним дверь. Да, это тот человек. Нет никаких сомнений. Как практически нет сомнений в том, что Артем сейчас взял на работу мужчину … для Дины. Когда Вадим давал оценку передачам, которые посмотрел перед собеседованием, он очень точно определил достоинства и недостатки всех четырех ведущих. О передачах Дины говорил так же критично и бесстрастно, как о других. Только имя ее произносил не так, как другие имена. Он ласкал это имя. Артему ничего не стоило его не взять. И Дина, которая ведет такой уединенный образ жизни, никогда бы его не встретила. А этот мужчина для нее, как работник для Артема. Но как бы потом Артем презирал себя. Дал свободу, значит, дал ее.

…Все и получилось, как он думал тогда. Артем подошел к бару, налил себе еще стакан виски, вернулся к столу, нажал кнопку пульта, задержал стоп-кадр с Диной. Сделал несколько больших глотков. Он никогда не пьянеет и никогда не волнуется. И все время просто наблюдал. Еще нечего было замечать, Дина совершенно не изменилась, Вадим был весь в работе, он никак ее не выделял, даже сотрудники не начали переглядываться, глядя на этих двоих, но Артем точно знал: они будут вместе. Кому, как не ему, знать все о своей Галатее.

Он услышал движение за спиной, но не повернулся. Он и так чувствовал, что это Анна. Остановилась, приняла особенную позу, завлекательно завернута в большое полотенце, ее стройное тело словно вибрирует, сузились еще больше темные глаза, — такие глаза бывают у латиноамериканских актрис, — оскалились в попытке изобразить насмешку острые зубки. На самом деле это злоба, ненависть, ревность. Ну как ей объяснить, что Дина в его жизни для нее — параллельная реальность. Что завидовать ей и ревновать — это все равно что колючке ненавидеть звезду, хотя какой-то садовник лелеет именно колючку, поливает, укрывает на зиму от холода. А звезда мерзнет сама по себе, освещая свое одиночество. Только одиночество и осталось верным Дине. Вот и Вадима больше нет рядом с ней. Это судьба.

— Все любуешься? — произнесла Анна своим богатым, низким голосом.

— Я работаю, Аня, — повернулся к ней Артем. — Это так трудно понять? Иди. Я сейчас приду в спальню.

Он проводил ее взглядом до порога, знал, что там она театрально потеряет свое полотенце. Смешно: на худых ягодицах появились пупырышки от обиды и злости, которые редко ее оставляют. Это похоже на крокодиловую кожу. И это значит, что она будет яростной и ненасытной в любви. Что, собственно, от нее и требуется.

Глава 4

Утром Анна, уже при макияже, с тщательно выбранным выражением надменного превосходства на лице, в легком полушубке из соболя, который окутал ее теплым облаком, в черных брюках стретч на длинных стройных ногах и, разумеется, в сапогах на очень высоком каблуке, вышла из подъезда дома Артема и села в свой припаркованный неподалеку иссиня-черный «Лексус». Мельком подумала, что пора бы Артему сообразить, что ей нужна новая машина.

Хотя она очень любила эту. Цвет выбирала под цвет своих волос. Ей никто не верил, конечно, но она не красила волосы. В результате какой-то причудливой игры генов — Анна запуталась в своих предках, кого там только не было, — она родилась сразу с черными волосиками, плотно прикрывавшими младенческий смешной черепок. Она сама всегда смеется, глядя на свои первые фотографии. Галчонок! Мама гордо ей говорила, что дети остальных мамашек в палате были лысыми, как колено.

В школе, конечно, внешность стала проблемой, которая доставила ей немало страданий. По сути, испортила детство совсем. Нос с горбинкой на худом лице, черные, непокорные, неправильно постриженные волосы, очень тонкие, худые ноги и руки — были поводом для веселья мальчишек-одноклассников. Ей кричали вслед: «галка», «ворона», «спрыгни со своих ходулей», а бегали за беленькими, манерными Мальвинами. Хроническая подростковая обида стала со временем растущим раздражением, затем превратилась в скрытую ярость и желание всех победить. Не кого-то конкретно, а просто победить! Свой выход она готовила не меньше года. Не тратила карманные деньги, экономила даже на обедах: все равно не поправляется, а дома, когда отец был на работе, мать крутилась по хозяйству, Анна тренировалась по журналам, как тренируются модели. До изнеможения, до ста потов. Иногда заходила в лучшие парикмахерские Нижнего, где жила, садилась в очередь и слушала разговоры клиенток: какой мастер в городе самый лучший стилист и сколько берет за услуги. За несколько месяцев до выпускного вечера Аня спросила у матери, сколько денег та собирается потратить на ее выпускное платье. Мать подумала и назвала более чем скромную сумму — ей пришлось оставить работу, сидеть с младшей дочерью, которая родилась инвалидом: ДЦП. Семья жила на небольшую зарплату мужа и пособие на больного ребенка, денег, конечно, не хватало ни на что. Мать назвала сумму, которую уже отложила, потому что трудно у них задерживаются деньги, а потом взглянула на серьезное, сосредоточенное лицо старшей дочери и так остро ее пожалела... За худобу, за эти черные, непослушные волосы, за то, что редко смеется, за то, что одета едва ли не беднее всех, за то, что нет у родителей времени ее утешить, приголубить, доставить радость... Так пожалела, так почувствовала свою вину: ведь родила же «галчонка» для счастья, и добавила:

— Это что есть. Но я еще отложу. Ты что-то придумала?

— Да, — кивнула Аня.

Этот свой выход она помнит отлично. И мама, конечно, помнит. А уж одноклассники — те, возможно, немножко заикаются по сей день, вспоминая, сколько лет прокалывались, обижая ее. Аня улыбнулась и легко вписалась в поворот.

...Она сознательно не торопилась, собираясь на выпускной вечер. Мама устала нервничать, подгонять ее, хлопотать. Отец, который вернулся с работы раньше, чтобы посидеть с младшей дочкой, время от времени смотрел на часы и говорил жене:

— Ну, я не понял. Зачем я все бросил, там была сверхурочная работа, досталась Лешке, а вы вообще куда-то собираетесь? И вообще, что она делает? Она торчит перед зеркалом уже часа четыре, и ничего такого я не вижу. Цветы бы какие-то в голову прицепила. Я видел, когда шел домой, одна девочка воткнула себе в косы полгрядки роз, не меньше. Платье на ней было белое, тоже с розами. Первый раз вижу, чтобы на выпускной вечер кто-то шел в черном. Поминки там или что…

— Не вмешивайся, папа, — отмахнулась мать. Она давно так называла мужа. Они в своей борьбе за жизни детей давно стали не мужчиной и женщиной, а мамой и папой. Стали совсем молодыми… Маме не было и тридцати, когда родилась младшая сестра, Валечка.

Но еще через час и мама взглянула на часы, потеснила Аню у зеркала, поправила гладко причесанные русые волосы и серое, красивое, но единственное выходное платье.

— В общем, я побежала, доча. Тебя ждать никто не будет, но аттестат кому-то надо взять. Может, к танцам успеешь. А мне ребенка укладывать. Не знаю только, букет мне брать или как?

— Я возьму, — повернулась Аня. — Ты иди, я скоро.

Мать всплеснула руками, у отца изумленно расширились глаза. «Аня, Аня», — засмеялась семилетняя Валечка…

Аня вошла в актовый зал, когда второй выпускник получал на сцене из рук директора свою путевку в жизнь. Она неторопливо шла между рядами, и головы всех поворачивались к ней. Это папа мог не сразу понять, чем Аня так долго занималась у зеркала. А одноклассники, учительницы, родители, даже непроницаемая директриса на сцене — они, конечно, сразу поняли. Идет мисс Совершенство. Тонкая, словно летящая, затянутая в черное платье с асимметричным воланом по маленькой груди, с открытой длинной и гибкой шеей, на плечи ложится роскошная иссиня-черная волна. Неяркий блеск на губах гармонировал с загадочным светом черных узких глаз в тонкой подводке. В руках она держала букет алых роз.

...Да, то был ее первый триумф. После него Анна стала профи эффектных появлений. Сколько бы женщин ни было, как бы они ни нарядились, как бы ни накрасились, Анна умела сразу привлечь к себе внимание, отвлекая его от других. Конечно, это всегда требовало много часов или дней подготовки. Но это стоило победы. Да, было по-всякому. Но она научилась считать победы, оставляя в прошлом поражения. На данный момент ее главной победой был Артем. В принципе он и в ее жизни главная победа. На такую она даже не рассчитывала. Но после победы оказалось все очень трудно. Как удержать, как окончательно пленить, что еще сделать... Он с ней и не с ней. Если она однажды перестанет звонить и приезжать, он просто не заметит. Привезет другую. Это такой мужчина — у Анны не было слова «любовь», — просто это такой мужчина, ради которого не жалко жизни — ни своей, ни чужой. Он стоит всего.

Она вспомнила, как вечером он смотрел на стоп-кадр Дины, подумала о том, что они сейчас в одном помещении, возможно, совсем рядом, возможно, касаются друг друга — и попала в грозу. В свою, редко утихающую грозу. Взглянула в зеркальце: и лицо у нее, как у грозы, и волна волос — грозовое облако, и самой страшно от того, что она не может себя укротить. Анна даже не заметила, как вошла в свою квартиру, которую снимала в центре. Сразу, не раздеваясь, прошла в гостиную, где висел на стене телевизор. Сейчас время эфира Дины. Анна всегда смотрела. Это были самые плохие для нее пять минут в сутках. Она не слышала, что Дина говорит, она смотрела, ненавидела, проклинала… И допроклиналась. Ее неправильно поняла высшая сила. Убит муж Дины, а она сама опять свободна. Анна сдержала полустон-полурык. Протянула руку к экрану и провела пальцем по трещине. Это она пыталась разбить телевизор медным тяжелым ковшом. Не получилось. Не получилось у нее, идиотки. Телевизор даже не стал хуже работать. Кому хуже от того, что она колотит по своему телевизору. Если рассказать Артему, он будет смеяться. Возможно, вместе с Диной.

— Будь ты проклята, — сказала телевизору Анна и не стала его включать.

Глава 5

— Накануне первого весеннего праздника — Восьмое марта, — говорила Дина в эфире, — мне очень хочется поздравить всех своих зрителей. И женщин, и мужчин, чьи жизни согреты любовью к женщинам, и детей, для которых всегда главным словом будет «мама»… Если бы зависело от моего желания, вы были бы всегда счастливы. Не знали бы ни горя, ни самого маленького огорчения. Бывает такая жизнь или нет — это уже другой вопрос. Но моя задача и сегодня, как обычно, коротко рассказать вам, что есть за нашим окном, что ждет за порогом, с чем мы не можем примириться, кто не оправдывает наших ожиданий, по чьей вине сейчас есть обездоленные и несчастные. А они есть. И я не поставила сегодня на свой столик букет подготовленных для этой передачи цветов.

...Артем у себя в кабинете курил трубку, глядя на монитор. Он давно бросил курить. Трубку оставил только в рабочем кабинете, был уверен в своей силе воли. И легко мог не вспоминать о ней. Курил он только, когда шла запись завтрашней передачи Дины. Он смотрел на ее крупный, красивый и чувственный рот, на глаза самого глубокого карего цвета. Когда она делает это свое обычное движение: опускает голову, глядя секунду просто на пустой стол, она так переводит дыхание в момент напряжения эмоций, и любому понятно, что тут нет актерства, когда она так делает, а затем резко поднимает взгляд, ее глаза занимают пол-лица... Если бы Артем услышал от кого-то другого эту свою мысль, которая у него возникает в такой момент, он бы, конечно, насмешливо улыбнулся. Но себе не запретишь, и он в очередной раз думает: «Это взгляд высшего существа». Ничего пафосного на самом деле. Никакого обожествления. Он думает о профессионализме. И о чем-то еще, чего он так больше ни в ком и не нашел. Дина выйдет из студии и посмотрит обычным взглядом обычной усталой женщины. Ей дано уложить в эти пять минут чуть больше, столько информации, столько мыслей и такое количество внутреннего пламени, что она выходит совершенно обессиленной. Потом пьет чай в общей комнате, и ее пальцы немного дрожат.

А пока она своим приятным, негромким голосом, который нисколько не похож на голос записного оратора, трибуна, говорит такое… Может, дело даже не в содержании: это обзор событий, по которым не прошелся лишь ленивый из тех, кому за деньги не положено замазывать правду, — да, скорее всего, не только и не столько в содержании. Дело в том, что красивая, успешная женщина, сексапильная и элегантная так жестоко, с таким откровенным презрением, иногда с ненавистью безошибочно чертит круг легализованной мафии, называет имена и должности коррупционеров, известных всем, говорит об их преступлениях, как не скажет никакой обвинитель, если вдруг случится справедливый трибунал. И столько горечи и сожаления по адресу вечных жертв. Просто людей, которые родились не для того, чтобы стать жертвами. И стали ими.

Артем представил себе одного чиновника, который это сейчас смотрит. Они иногда встречаются на встречах, фуршетах. Тот первый всегда идет к Артему с протянутой для рукопожатия рукой и неестественно широкой улыбкой. Это он включает Артема в свой круг, чтобы не прозвучало вот так, на весь свет, его имя. Никому не страшно и не стыдно совершать откровенные преступления. Но любого скрючивает, когда Дина пренебрежительно называет его имя. Вот и это имя прозвучало. Артем не читает тексты ведущих до записи. Откровенную глупость, ляп даст команду вырезать перед показом, правду — ни за что.

«А не фига было», — мысленно сказал чиновнику Артем, прекрасно представляя, как этот тип сейчас звонит по разным телефонам, требует закрыть, запретить, истребить... Идиот. То, что сейчас сказала Дина, — это просто анонс, верхушка айсберга. Если клиент будет слишком нервничать, в ход пойдут такие документы, что его сдадут в первую очередь подельники. В редакции отличная группа разработчиков.

Но на какой-то ковер, возможно, придется пойти. То есть известно на какой. И под этим стерильным ковром столько своей грязи и компромата, что разговор не будет слишком тяжелым. Мысль вышестоящего чиновника всегда такая: «Я просто по мольбе вступаюсь за него, но меня не трогайте». Расправляются не в кабинетах и не на коврах, а в подворотнях, дворах, на улицах и мостах... Но тут уж как кому повезет. То ли Артему, то ли тому, кто не понял, с кем связался. Боялся ли Артем за Дину? Почему-то нет. Она — слишком известное лицо. Именно лицо. Красивое, нежное, женское. Последнему дегенерату должно быть понятно, что это для него страшно аукнется. Если вдруг... Провести связь легко даже простому телезрителю. Кончиться может катастрофой для многих. Такие вещи не решаются в одиночку. Или Артем себя так успокаивает? Но дело просто в том, что он дает профессионалу трибуну. Это ее выбор.

...Однажды, тогда, больше трех лет назад, Артем после записи вошел в кабинет Вадима. Тот сидел за письменным столом и смотрел на уже выключенный монитор. Посмотрел в сторону Артема и явно не увидел его. Он просто еще ничего не видел. Держал в руках сломанную ручку, и руки его дрожали. Он боялся за нее. Так Артем понял, что Дина и Вадим провели ночь вместе.

Глава 6

Тем вечером, в темном и мокром фруктовом саду они какое-то время растерянно стояли над большим лохматым псом, который пытался встать. Пес по-человечески стонал, едва приподнимался на мощные передние лапы и падал опять, в скользкую грязь.

— Я ничего не вижу, — жалобно сказала Дина. — Я вообще близорукая, просто на передаче без очков.

— Как тут увидишь в такой темноте. Сейчас.

Вадим быстро достал айфон, включил фонарик… Дина ахнула. Пес был весь в открытых, явно ножевых ранах. На боках кровь смешалась с грязью. Он перестал стонать и поднял голову. Вадим осветил его морду.

— О боже, — прошептала Дина. — Какие глаза. Какой красавец. Я никогда не видела такой собаки.

Вадим задумчиво смотрел на нее, на собаку, которой так не повезло… Вот по такому сценарию пошел их романтический вечер. Он не чувствовал досады. Он хотел побыть с ней вместе, вот они и вместе. Но что делать?

— Дина, я как-то не в теме. Ты не знаешь, кого-то можно к нему вызвать? Наверное, есть такая служба.

— Ты смеешься?! Какая служба! Вадим, его нужно везти в клинику. Давай так. Я побуду с… Лордом, а ты попробуй поймать нам с ним машину, что-то типа «Газели», фургона… И нужно, чтобы водитель был нормальный, помог внести и вынести. В клинике тоже. Я хорошо заплачу, скажи ему. У Лорда что-то серьезное с позвоночником. Очень серьезное.

— Эй, — негромко произнес Вадим после небольшой паузы. — Дина, ты меня видишь? Я нормальный водитель, у меня джип. Я тебя здесь не оставлю ни с Лордом, ни без него. Кстати, почему Лорд?

— Ну, как же. Это написано в его взгляде. Ох, спасибо, милый. Я не надеялась, честное слово. Даже в голову не пришло. Ты правда хочешь поехать с нами?

— Только в одном случае. Я еду не с вами. Мы едем вместе. Мы — вместе, так?

— Так, — благодарно кивнула Дина. Вадим смотрел на нее в свете фонарика. Где богиня истины, гнева и возмездия? Это девочка, испуганная, потрясенная, вздрагивающая, глядя на раны собаки, как будто сама чувствует боль от ударов ножа. Она сказала «милый», что это было? Просто благодарность, конечно…

Они подъехали к небольшому зданию со стеклянным фасадом. Все окна горели.

— Вот здесь. Сейчас нам поднимут шлагбаум. Это центр лучшего хирурга-ветеринара Москвы. Воронина. Они работают круглосуточно. У него в кабинете включен свет, значит, он сам дежурит в ночь.

— У тебя были животные?

— Только в родительском доме. Я слишком люблю собак, Артем к ним равнодушен, я не стала рисковать. А потом… Сложно все. Даже не приходило в голову еще усложнять. Одной проще. Я знаю этот центр просто потому, что до компании Артема работала на другом канале, как раз в передаче о животных. Не раз делала репортажи отсюда. Так что, Лордик, — погладила она большую лохматую голову, которая лежала у нее на коленях, — мы приехали по блату.

Когда подняли шлагбаум и Вадим поставил машину на стоянку, он, перед тем как открыть дверь, взглянул на свои руки в грязи и ржавых пятнах крови: носовым платком не очень приведешь себя в порядок. На куртку, брюки, на грязные полосы на щеках Дины, на ее совсем недавно безупречно чистую одежду…

— Дина, ты представляешь, в каком мы виде? Там все перепугаются насмерть.

— Нет, — по-деловому ответила Дина. — Там как раз такой вид и нужен.

Несколько часов показались Вадиму кошмаром. Лорд не сумел встать на задние лапы. В помещение его пришлось заносить. К ним вышел бесстрастный человек с очень цепким взглядом. Он не задавал никаких вопросов, только констатировал то, что видел. Пришла бригада людей в голубых халатах. Лорда сначала отнесли в комнату для рентгена, потом в операционную.

— Ну, Дина, видишь сама, — сказал доктор, показывая результат рентгена уже на большом мониторе на стене. — С позвоночником безнадежно. По факту это спинальник. Повреждение, скорее всего, очень тяжелым предметом. Еще есть импульс от спинного мозга к головному, но он будет отмирать. Операбельно ничего решить невозможно. Раны разной глубины. Их можно почистить, какие-то зашить… Пес сейчас так ослаблен, измучен, истощен, что я бы не стал это делать под общим наркозом. Под местным… Все раны не обколем, только замучаем. Я бы просто немного успокоил… и попробовал так. Если делать.

— Что значит «если»?

— Если мы примем решение — оставить жить никому не нужного инвалида. Я так понял, вы подобрали его на дороге? С хозяевами все ясно. Это они искалечили. Ошейник — строгач ручной работы, дорогой, на собаке есть клеймо. Стоит такая собака сейчас до полумиллиона. Истязал садист. С любовью к этому делу. Да иначе и трудно избавиться от такого серьезного зверя. Он вернется, куда бы его ни отвезли.

— Почему вы думаете, что это хозяин? Это может быть… догхантер, пьяный подонок с улицы…

— Такую собаку? Да она из чужого человека, который сунулся бы с враждебной целью, котлету бы сделала. Такой пес подпустит только хозяина — убивать, резать на куски и все прочее… Я предлагаю — не мучить его. Усыпить.

Вадиму стало не по себе. Усыпить. Убить? Тут он очень пожалел, что именно они наткнулись на Лорда. Он полз к ним, смотрел им в глаза, а они привезли его на смерть.

— Сколько ему лет? — спросил он хирурга.

— Лет пять-шесть, думаю. Расцвет жизни для такого великана. Мощный, отличный пес. Был. Ему самому не нужно жалкое прозябание инвалида. Да и не возьмут его у вас ни в один приют. И это хорошо. Потому что гнить там заживо — это страшнее, чем смерть. Дина знает, что такое приюты, передержки…

Дина, казалось, их не слушала. Она гладила морду Лорда, завязанную бинтом, чтобы не укусил никого, улыбалась ему, что-то говорила. Пес смотрел на нее необыкновенно выразительными и большими глазами.

— У него очень большие глаза для сенбернара, да? — спросила она у врача. Вадим подумал, что она странно спокойна. Собаку сейчас убьют, а она говорит о том, что у нее большие глаза.

— Да, я обратил внимание, — ответил Воронин. — Интересная генетика. Есть такая довольно известная картина, не помню автора, но век, кажется, девятнадцатый. Там сенбернар с такими глазами. Его дети обнимают. Я думал, это фантазия художника, ну вот, первый раз увидел. Есть такая ветка, значит.

— Обязательно найду эту картину, — почти весело сказала Дина. — Начинайте, пожалуйста, Алексей Алексеевич. Нам далеко ехать. Вадиму рано на работу. А мы с Лордом сумеем отоспаться. Завтра у меня нет записи.

— Я вас правильно понял? — уточнил врач.

— Ну конечно. Это мой пес. Мы наконец встретились. Он хочет жить. И он не будет несчастным. И не инвалид, как бы ни пошло дело дальше. Уж мы с ним постараемся.

Был еще очень тяжелый час. Лорд стонал, временами пытался вырваться, его держали несколько мужчин, несмотря на то что он был привязан ремнями к хирургическому столу. Дина отказалась уходить. Врач что-то строго ей говорил, потом махнул рукой. Она беззвучно плакала, глядя на страдания и страх собаки. Наконец раны почистили, зашили, Лорда погрузили на одеяло и понесли к машине. На улице на него, видимо, подействовал воздух, он захотел свободы, с ревом раскидал четырех человек, они его уронили прямо в одеяле. Пес огляделся, лежа, нашел взглядом Дину и начал вставать. И встал! И пошел в машину рядом с ней, неровно, заваливаясь временами на задние лапы, но сам. Но с ней.

Вадим посмотрел на Воронина.

— Ужас. У меня в эту ночь нервы сплелись, как змеи, в клубок и шипят. И меня же кусают. Одно дело — помочь обычной собаке, другое — вступить в контакт с таким странным зверем.

— Пес — настоящий мужик, — рассмеялся врач. — Повел вашу женщину. Догоняйте. Если что нужно, приезжайте.

Они уже устроились в машине, когда Воронин подошел и попросил знаком опустить стекло.

— Я хочу сказать, что в моем прогнозе кое-что изменилось. Не станет спинальником этот зверь. Слишком мощный, волевой и гордый. Не побежит, конечно, даже нормально не пойдет, но не ляжет бессильно… Какое-то время. Это могут быть годы. Он будет передвигаться сам за вами, Дина. Пусть по квартире. Но это смысл и цель. Собаке нужен только человек, который ее любит. Удачи.

Ночью, в квартире Дины, Вадим, отмывшись и почистив одежду, чувствовал себя так, как будто на нем полгода воду возили без выходных. Пытался подремать на кухонном диване, но сон тоже испугался таких приключений. Просто соскочил, как предатель. Вадим встал и без толку бродил до утра, наблюдая, как на экране, вдохновенную, красивую и, кажется, совсем не уставшую Дину. Она хлопотала вокруг Лорда, устраивала ему уют из одеял. Давала то попить, то поесть крошечными порциями. Она целовала его морду, а Лорд ей улыбался! Дина счастлива, что спасла эту жизнь, понял Вадим. Вероятно, ее щедрой и сострадающей душе больше никто не нужен. Лишь этот великолепный, искалеченный пес, который, возможно, спас ее от одиночества. Интересно, конечно. Она его, Вадима, во всей этой истории видела? Заметила? Или он — «нормальный водитель»…

В это время Дина выключила электричество в спальне, раздвинула плотные темно-бордовые шторы, приоткрыла окно, вдохнула влажный, пряный воздух.

— Утро, — сказала она. — Тебе пора собираться на работу. Лорд уснул, я приготовлю тебе хороший и правильный завтрак. Для сил и бодрости.

— У тебя завтраки для разных целей?

— Для всех.

Такими выдались их первый романтический вечер и первая ночь. Они не прикоснулись друг к другу. Им было некогда, им было незачем торопиться. Они уже были вместе. Когда Дина посмотрела Вадиму в глаза перед тем, как открыть входную дверь, он все наконец понял. С такими глазами нужно говорить только в эфире. В другое время все понятно без слов. «Возвращайся, — сказал ее взгляд. — Я буду ждать. Мы будем ждать».

Глава 7

— Видишь, — сказала Дина, глядя в по-прежнему яркие и прекрасные глаза Лорда, — врач был тогда прав. Он сразу тебя понял. Ты не сдался, ты не слег ни на день, ты, моя лапочка, моя деточка, все так же ходишь за мной по квартире. И мы с тобой знаем, что ты счастлив. А Вадима нет… Ты, наверное, думаешь, что он просто ушел домой. Или что его нашел хозяин. У тебя такой правильный порядок в твоей большой голове. Я так тебя люблю. Мне, кроме тебя, никто не нужен теперь. И ничего не нужно, кроме твоей радости.

Она покормила собаку, убрала квартиру, улыбаясь, наблюдала, как Лорд топает по своему маршруту, оказываясь в одних и тех же местах с точностью до минуты. Великий педант. Если она отступит от какого-то заведенного ими порядка, он скажет «ры-ы». Не поймет, оставит очередную дырку на ноге или руке. У него все — не игрушки. Боль от такого воспитания — глаза на лоб. Гематома на несколько недель, след, может, и навсегда. Память... Дина на него покричит, поругается, демонстративно забинтуется, а Лорд подойдет, прижмется горячей, такой красивой и такой родной башкой к ногам, потрется, лизнет руку — сердце плавится, и горя в эту минуту нет. Вот такой он крутой, Лорд. Ему положено по породе предупреждать один раз.

Суть их особых отношений однажды объяснил ей Вадим. Он вошел в квартиру, когда она плакала от боли и обиды, держа на весу окровавленную руку. Вадим почему-то не бросился ее жалеть и ругать Лорда. Просто выслушал.

— Я не понимаю, — жаловалась Дина. — Я так его люблю. Он же знает. И потом это очень организованный, обученный пес, знает все слова и команды. Собака, да еще такая умная и серьезная, никогда не кусает хозяина. У нее просто навыки охраны от врагов, что ли. А он меня...

— Ты сама все объяснила, — спокойно сказал Вадим. — Собака знает, что нельзя кусать хозяина.

Но ее хозяин тот, кто истязал, избивал, бросил. Лорд все же собака, пусть и необычная. Он это принял, как любой пес: хозяин — это тот, который обращается жестоко, но ему нужно хранить верность. А ты... Ты для него не хозяйка, ты случайно слетевший ангел. Он тебя так любит, что пытается предупредить: не веди себя как хозяин, оставайся ангелом. Он не хотел сделать тебе больно, просто пасть у песика — почти как гильотина. Ему трудно проконтролировать свою силу. Так что срочно миритесь. Вон как он смотрит на тебя. Я не из самых жалостливых людей, но у него в глазах слезы, или мне кажется...

Так все встало на свои места. Дина оставила мысль — изменить характер и сложившиеся представления Лорда. Полюбила его за такую силу и сложность еще сильнее. А сейчас, вспоминая слова Вадима, вдруг подумала, что он говорил не только о Лорде. В их отношениях она тоже не была хозяйкой, традиционной женой. Он относился к ней как к подарку, случайно слетевшему ангелу, несмотря на ее совсем не ангельский характер. И были моменты, когда он тоже ее предупреждал, правда, без рыка и укусов: «Не надо. Ничего не нарушай. Не выходи из образа, который я люблю. И не вникай в то, что было...» Об этом надо подумать серьезно, но сейчас некогда... Вот так бы и сидела рядом с Лордом на полу, утонув в блаженстве и уюте. Но скоро ночь. А тексты к завтрашней записи нужно писать вечером. Пока ночные тоска, жар и пламя — то, что Артем называет ее «гипертрофированными эмоциями», — не затопили нужные, точно рассчитанные, как символы в строгой теореме, слова.

Дина вошла в их с Вадимом спальню, которая была и ее кабинетом. Его кабинетом была гостиная. Большая, светлая, с выходом на огромную лоджию. Странная планировка, которая сыграла решающую роль в выборе квартиры. Лоджия по размеру, как вся квартира. Сейчас гостиная — комната Лорда. Он там спит, бродит, выходит на лоджию: посмотреть на день или ночь, общается с высоким тополем, который кланяется ему в открытые окна, здоровается с птицами, удивляется, наверное, их размеру и крыльям. Он там рассматривает свои собачьи ожидания и мечты. Все связано с Диной, наверное. Он ограничен в выборе радостей, как больной ребенок, который тоже не чувствует себя обездоленным, если рядом мама. Мир в стеклышке... Это и ее мир.

За небольшим письменным столом Дина какое-то время всегда сначала выстраивает в мозгу все то, что узнала за день, потом отбирает три-четыре темы для своего короткого эфира. Это будет три-четыре удара по самым больным точкам истории этого дня. Она не включает компьютер. Ее ждет всего один лист бумаги. Она напишет там несколько фраз от руки. Это выводы или ответы, как при решении задач. Она может взять с собой эту бумажку, может не брать. Текст родится сам по себе и отпечатается в памяти намертво. Если на записи она скажет другие слова, значит, так надо. Дине иногда казалось, что текст ей кто-то диктует, а она просто произносит...

Она набросала три темы на завтра. Перечитала несколько раз только одну из них. Девушку, ложно обвиненную, ждет на днях, скорее всего, нелепый и преступный приговор. Дело затягивают, приговор страшно произнести тем, кто не может этого не сделать. А девушка приняла свое решение. Или воля, или смерть. Она голодает больше двух месяцев. И никто не может ее переубедить. Согласилась лишь пить воду, чтобы бороться. Дина ей сказала: «Ты хочешь, чтобы они радовались после твоей смерти? Как победители? Чтобы поступили так еще с кем-то?» У девушки — лучшие адвокаты, в оплате которых участвует и Артем, не по доброте душевной, а потому что его интересуют самые резонансные дела, он все видит и слышит в своем эфире. К ней ходят журналисты. Приходит и Дина. В последнее свидание посмотрела в глаза, коснулась прохладной, почти детской ладошки — девушка страшно похудела во время голодовки — и отбросила все, что хотела сказать о прекрасной, несмотря ни на что, жизни, о будущем, в котором просто неизбежны любовь и счастье… Она шепнула узнице:

— Мои уважение и любовь — с тобой, что бы ты ни решила. Ты свободна.

И ушла. И даже думала сегодня весь вечер о другом, о своем. А сейчас зацепилась за название темы и горько заплакала. Кусала губы, чтобы не потревожить Лорда, чтобы не услышали соседи, а слезы все топили и топили ее жалкий клочок бумаги, на котором, возможно, тонула одна жизнь. Такая нужная, такая важная жизнь.

Дина вытерла слезы ладонью, скомкала влажный листок и бросила в корзину для мусора. Она знает, что сказать. Тема осталась одна.

Она вышла в прихожую:

— Мой дорогой, ты не ушел к себе? Я думала, ты спишь или гуляешь на лоджии. Это из-за меня. Да?

Успокойся. Тебе нужно спать. Ты никогда не нарушаешь режим. Это твое здоровье. И мое, наверное. Пойдем я тебя провожу.

Дина и Лорд пошли по квартире, как по своему волшебному саду. Посмотрели вместе на звездное небо, как поется в украинской песне, «хоть гилки збирай», — какая-то поздняя, бессонная пташка им что-то чирикнула. Лорд, довольный, вернулся в комнату и стал устраиваться на своем двуспальном человеческом матрасе из «Икеи». Вадим специально ездил ему покупать. Выбрал любимый цвет Дины — темно-лиловый. Как их диван. Дина дождалась, пока теплое посапывание не заполнит комнату покоем и завершением, выключила свет и вышла в прихожую. И остановилась там, глядя на входную дверь.

Было так. Она помнит все до секунды, как будто это случилось вчера. День ее рождения. Она никогда не отмечает день рождения. Не понимает ажиотажа, связанного с простым фактом. Ну, родилась. Не родилась бы — не было бы и вопроса. Но в то утро Вадим, уходя первым на работу, — Дине нужно было к полудню: она уже выгадывала часы, как кормящая мать, из-за Лорда, — поцеловал ее особенным, длинным и страстным поцелуем. Сказал:

— Ты ничего сегодня не покупай нам и не готовь. Я все привезу сам.

И день сразу стал другим. Нежным, ярким, обещающим радость. На работе ее завалили цветами, которые она оставила в редакции, сказав, что они настолько прекрасны, что обидно, если в дороге изомнутся, но здорово будут смотреться в студии во время вечерних эфиров. Домой поехала на такси:

опять же из-за Лорда. Раз Вадим сказал, что все купит, — значит, сделает. Он умеет создавать атмосферу праздника. Они сошлись и в том, что их мир на троих для всех остальных закрыт. В гости, на обязательные мероприятия, конечно, ходили. Атмосферу своей тайны хранили, как большое сокровище. Эта тайна — любовь. Всего лишь. И ей не нужна публика.

Она обслужила Лорда, убрала квартиру, надела простые черные брюки и очень эффектную кофточку цвета глубокой бирюзы с такими же кружевами у выреза и внизу. Шел ей этот цвет невероятно. Самой себе казалась экзотическим цветком.

— Нравится? — спросила у Лорда.

Он внимательно посмотрел, ей показалось, что важно кивнул. Да! Ему нравится, ей нравится, а уж Вадиму… Она рассмеялась. Она так редко смеялась, что Вадим называл ее царевной Несмеяной. Она не говорила ему, что так называл ее и Артем.

Раздался звонок в дверь. Вадиму еще рано. Она открыла. Прибыл курьер со «спецодеждой» от Артема. Дина совсем забыла: это же сегодня, и курьер днем звонил, договариваясь о времени. Она взяла красивую коробку, внесла в спальню, поставила на кровать, открыла. Черное платье. Не разворачивая, можно было понять, насколько это шикарно. Скромно и именно шикарно. У Артема великолепный вкус. Дина подняла тяжелый шелк, собираясь положить опять в коробку, рассмотреть уже вечером. Были пока дела. Но вдруг что-то блеснуло. Дина развернула платье. Впереди до талии блестели маленькие пуговицы. Каждая обтянута настоящим кружевом. А вместо верхней — небольшая булавка, как английская по форме. А в ней, как незабудки в траве, — чистейшей воды голубые алмазы… Дина не смогла сдержать возглас восторга. Она была практически безразлична и к тряпкам, и к украшениям — ну, так, радость на мгновение. Это было совершенство. Она быстро сбросила брюки и бирюзовую кофточку, побежала с платьем в гостиную к огромному зеркалу — от туалетного столика, стилизованного под низкое старинное бюро, до потолка. Это была единственная вещь, которую выбрала она, когда они обставляли квартиру. Ей так захотелось, чтобы зеркало стало таинственным отражением и продолжением комнаты — вдаль и вверх. Перед этим зеркалом Дина чувствовала себя Алисой в Стране чудес.

Платье скользнуло по ней, как будто истосковалось по ее телу. В нем дело или не в нем, но она себя не узнавала. Это была женщина-загадка, женщина, зовущая любовь, женщина, чье лицо осветили совсем по-другому голубые звезды, вспыхнувшие у сердца. Она осталась в этом наряде. В нем бросилась открывать дверь, когда раздался звонок: у Вадима же заняты руки покупками, он не может достать ключ…

И столкнула дверью тяжелое тело, ничего сначала не поняла, просто смотрела на спину в сером пиджаке, на котором было пять красных пятен. Свежая кровь. Еще чувствовался запах обожженной ткани на месте выстрелов, которых она не слышала. Голова Вадима с каштановой волной лежала у ее ног. И Дина упала на колени, лицом в эти кровавые пятна, убившие ее счастье. А потом голубые звезды смотрели, как она опускает любимые веки с длинными ресницами. Пусть спят.

Глава 8

Глухой ночью в темной комнате Людмиле снился мрак. Тяжелый, плотный, как комок глины, мрак. Он забился в горло, залепил рот, он не давал дышать и открыть глаза. Он сковал ее и наложил запрет на пробуждение. А сердце дрожало и просилось на волю, ему до конца жизни остался один глоток воздуха. И Людмила сорвалась с этого сна, как с цепи, задыхаясь, прижала руки к горлу, где, казалось, убит ее голос. Она произнесла, хрипло и с трудом, самые простые слова, которые всегда были на поверхности подкорки. Ночь, мама, пить, Вадим, Вита...

Людмила поднялась. Провела руками по взмокшей от пота ночной рубашке, сняла ее и бросила под ноги. Она пережила еще одну ночь. И таких ночей в этой темной комнате — три года.

Под ледяным душем ее крепкое тело сжалось и собралось, как для прыжка или полета. Ладное такое, пропорциональное тело, которое любовь к спорту не сделала менее женственным, несмотря на тренированные мышцы. Плоский, втянутый живот, сильные руки и ноги, которые казались лишенными мягких тканей. Такими ногами бегают и прыгают, такими руками держат канат, весло или оружие. А грудь у Людмилы была полной и упругой, под холодной водой соски сжались и невинно поднялись, как для первого кормления первого ребенка. И бедра были у нее широкими и щедрыми, чтобы детям было удобно выходить на белый свет...

Людмила не стала вытираться: ей не бывает холодно. Она шла крупными босыми ногами по замученному чистотой полу и считала часы, которые нужно прожить до утра. Она их провела как обычно. Выпила на кухне большой стакан холодной воды: просто ставила воду из-под крана в холодильник на ночь. И начала тереть до дыр эту свою чертову квартиру. Она мыла даже потолки ежедневно. Легко стояла на высокой стремянке с тяжелой такой шваброй и даже не напрягала ступни, чтобы не упасть. У нее идеальный вестибулярный аппарат, у нее опыт скалолазания, она пробовала себя, наверное, во всем, что требовало силы и выносливости. Она получала награды на любительских соревнованиях... Стала мастером спорта по стрельбе. С ее здоровьем стыдно ходить на диспансеризацию. Обязательно какой-то остроумный врач пошутит: «С такими данными, девушка, приходите сюда лет через сто». А она три года бежит, как подбитый заяц, из сознания в сон, из сна — в сознание...

Если бы Людмиле кто-то сказал, что это называется депрессией, она бы сплюнула себе под ноги презрительно, как научилась когда-то, будучи в компании трудных подростков, и растерла бы ногой картинно, по-пацански.

Не простой она человек, Людмила, и никому не позволит лезть к себе в душу.

Она вышла из подъезда ровно за полтора часа до начала рабочего дня, решительным и бодрым шагом направилась к своей машине. И почти с радостью вновь увидела там толстенькую фигуру их участкового Семена. Он ее развлекал. У этого смешного коротышки, взяточника, интригана и вымогателя, была невероятная для такого персонажа фамилия — Горский. Людмила всегда думала при встрече: это какого же Горского угораздило выродить подобное существо.

— Людмила, — начал своим неприятным голосом недорезанного петуха Семен, — не понимаете вы просто разговоров. Сколько раз я вам говорил: народ жалуется. Вы ставите машину так, как будто вы тут одна живете. Другим людям негде парковаться. В прошлый раз я говорил: это последнее предупреждение. Сегодня выписываю штраф. — Он блеснул гордо очами. То есть маленькими такими глазками, как потерянные пуговицы в пыли дороги.

— Да что ты, Сеня, — даже заулыбалась Людмила. — Народ все жалуется? Народ — это Костя из нашего подъезда и Петрович из соседнего? Они тебе это сказали месяца три назад. И ты все мне мозг проедаешь. А мы тем временем с ними провели разделительные полосы. Вот они. Мы старались широко начертить. Краску дорогую купили, красную. Видно за версту. А тебе видно? — озабоченно спросила она. — Или у тебя глаза нарисованные?

Оставив участкового в глубокой задумчивости, Людмила вырулила со двора и поехала, быстро, легко, осторожно, как профессиональный гонщик. Она все старалась делать профессионально. Всегда к этому стремилась. Так странно: это не страхует ни от чего.

Глава 9

Режиссер шевелил усами, как кот. Он постоянно жевал жвачку. Это, как и все остальное в нем, раздражало Анну. Наглый, стеклянный взгляд, уверенность в том, что он невероятно осчастливил ее тем, что пригласил сниматься в своих рекламных роликах. Идиотских роликах, помогающих продавать всякую дрянь. Взять эти кошмарные, вульгарные часы, которые нарисованы на заднике сцены, более того, они болтаются на уродливом искусственном дереве, типа это яблоки соблазна, которые Анна, как Ева, полтора часа снимала и цепляла себе на разные места. Затем их вешали опять. Но Ева, кажется, была голой все же, а на Анне обтягивающее трико и блуза до талии из одних рюшей, с рисунком леопарда. Обалденный креатив, наверное, думает этот козел Никита.

— Снято, — сказал Никита.

Анна сняла с себя часы разной величины и формы, но одинакового уродства, бросила в коробку.

— Я свободна?

— Минуту, — вальяжно произнес режиссер, развалившись в своем кресле и закинув нога на ногу.

А она остановилась перед ним. В этом дурацком, неудобном наряде — где-то жмет, где-то колет и щекочет кожу, — после пятого дубля. Никита и в паузах корчил из себя великого мастера, претендующего на «Оскар». Теперь ему нужна еще минута. Наверняка, чтобы придумать повод меньше заплатить.

— Что еще? — хмуро спросила Анна. — Я еле стою. Зад, извиняюсь, весь расцарапан. В этом трико швы не заделаны, а сшиты они из дерюги какой-то. Как будто делались для чучела на огороде, а не для живого человека.

— Люди работают, как могут, — так же вальяжно заявил Никита. — У всех проблемы. У всех кризис.

«Особенно у тебя, ворюга», — зло подумала Анна. Все знают, сколько из полученных от заказчика денег идет на клип, а сколько прилипает к его ненасытным лапам.

— Ты меня держишь, чтобы о кризисе поговорить? — поинтересовалась Анна.

— Вон зеркало, — кивнул Никита на туалетный столик у выхода за кулисы. — Посмотри, будь добра, на свое лицо.

— А можно, я не буду? Это вроде в оплату не входит.

— Именно об этом я и хотел сказать. Ты хорошо выглядишь. Ты в форме, ты по-прежнему артистична. Но выражение лица… В чем дело? Тебя снимаю я! А ты знаешь, какой у меня строгий отбор. Я выбираю для тебя выгодные проекты. А у тебя такое лицо, как будто ты роешь канавы.

Анна вдруг искренне и звонко рассмеялась. Они были уже вдвоем, почти все разошлись, а оператор никогда не слушает бред Никиты.

— Слушай, Ник. Кинь мне сегодня всего один лимон из натыренных тобою у заказчиков баксов. И завтра я засвечусь, засияю в очередных подштанниках с помойки. И буду петь и смеяться, как дети, снимая с этих крючков, какие ты выдаешь за дерево, ту гадость, которую никто не возьмет, даже если за это будут платить. Все, я устала. Чао, бамбино.

Анна отправилась в закуток, который был ее раздевалкой, довольно насвистывая. Она, конечно, держит дистанцию, когда в студии, кроме них с Никитой, есть другие люди. Но вообще он стерпит от нее что угодно. Чего она только о нем не знает. Вся подноготная этого режиссеришки ей известна. Но он по своему врожденному жлобству жмется, ручонки трясутся, прежде чем написать ее заработанную сумму прописью, а ведь зависит сейчас он от Анны, а не наоборот.

Они познакомились, когда Никита был никому не нужным бездарным актером, которого кто-то из жалости или по другой причине иногда пристраивал в массовки. Отсутствие у него таланта бросалось в глаза. Даже при съемках толпы его старались поставить в самый последний ряд. До выхода с подносом ему было как до луны.

Аня приехала из Нижнего в никуда. Договорилась только с бывшей одноклассницей, которая работала в библиотеке «Мосфильма», что та попытается ее куда-нибудь предложить, хоть уборщицей для начала, и поселит где-то на первое время. У нее остановиться было нельзя — семья, но «Мосфильм» большой. Конечно, мечта у Ани была, да еще какая. Софи Лорен тоже была когда-то нищей, да еще и сиротой, брошенной в детстве родителями. А встретила миллионера Карло Понти… Короче, нужно просто часто ходить по коридорам, попадаться нужным людям на глаза.

Шло время. Аня сделала «карьеру»: от уборщицы до постоянной участницы массовок. И однажды приехала с Никитой в его дом в Подмосковье. Так называемый дом. Это оказалось незаконченное строение, старое, запущенное, где жили его родственники, которые практически не общались друг с другом. Сначала Ане показалось это диким, потом даже понравилось. Уж ей-то с ними общаться никак не хотелось. Она и к Никите приехала на одну ночь, потому что замучилась прятаться от ночных сторожей по павильонам и кабинетам «Мосфильма». А он был прыщавый и озабоченный. Девушки его не любили. Но задержалась Аня в том подмосковном доме на несколько месяцев. А потом кто-то, уезжающий то ли из города, то ли из страны, предложил Никите закончить рекламный ролик про пиццу. Дал какие-то копейки. Никого, кроме Анны, он нанять и не смог бы. А она... Она же мастер эффектных появлений. Тогда она сделала эти свои несколько минут... Пиццу, может, и не заметили, а ее — да. Очень даже заметили.

Вскоре она снимала нормальную квартиру, у нее появились другие предложения, Никиту не бросала, как талисман, что ли. Но встречалась с нормальными мужиками. Никита держался за нее, как за золотую рыбку. А когда в жизни Анны появился Артем и в связи с этим у Никиты дорогие заказы, дела его пошли в гору. Анна обалдела, заглянув к нему посмотреть новый дом. Особняк не хухры-мухры. Тогда она и заметила, как он раздобрел, как остекленели глаза, как он зашевелил некогда жалкими, нелепыми усами. И что интересно: совершенно забыл, с чего все начиналось. Анна не бросает его сейчас с его роликами только потому, что даже мысленно не называет себя любовницей Артема. Она ему пока никто. И она как раз никогда не забывает, что и как начинается. Вернуться в то прозябание — запросто. Причем именно Никита скажет ей в самый трудный час, что она больше не справляется с его планкой, что постарела, и возьмет другую. Он уже в струе: поток таких заказов не остановится.

Анна посмотрела своему отражению в глаза. То ли зеркало на ее столике грязное и туманное, то ли действительно устала, то ли мысли у нее совсем не победные. Да, она все время готова к поражению.

И глаза в зеркале сейчас стали совсем узкими, как щели между бревнами в том старом сарае, в который может швырнуть ее жизнь. А надо стараться. Бить лапками по молоку, как лягушка в сказке, чтобы взбить масло, выйти на свет. Она беспощадно смыла с лица грим и пот горячей водой, придвинула к себе гигантского размера косметичку и принялась за работу. Allez![1] Сейчас эффектный выход. Она едет в офис Артема. Наверняка увидит там и Дину.

Глава 10

Анна плыла по будничному рабочему коридору. Люди торопились, о чем-то переговаривались, коротко здоровались или прощались… В общем, обычная контора. Разница лишь в том, что эти люди не замечали Анну, которая плыла, походка от бедра, разодетая и разукрашенная. Она была в этом буднем дне похожа на марсианку. В любом другом месте на нее бы таращились. Для этих людей марсианки — привычная, чаще всего разовая и уходящая натура. Они — журналисты. Только за это стоит их ненавидеть. И за то, что они Артему свои, а Анна по-прежнему чужая. И за то, что Дина — одна из них.

А вот и она. Выходит бледная, без грамма макияжа, куртка с капюшоном, как у гнома. Она тоже Анну, конечно, не видела, хотя шла по узкому коридору навстречу. Отлично, что не видела. Анна смотрела на нее ненасытно, как на главного врага и причину всех

[1] Вперед, марш! *(фр.)*

проблем. Между бровями у Дины резкая морщинка. Рот, такой красивый на экране, сейчас плотно сжат, как у партизанки на допросе. Под глазами — тени. Не нарисованные тени, а те, которые оставляет бессонная ночь, или боль, или страдание, которое страшнее любой боли. Анна старательно запоминала эти подробности. Это ей пригодится. Если день окажется плохим, если вечер и ночь не получатся, как она задумала, если Артем отшвырнет ее планы, как мусор под ногами, она будет вспоминать то, что сейчас запомнила. Ее это спасет.

Артем не удивился, не обрадовался, просто никак не отреагировал. Кивнул на стул, не прекращая разговора по телефону. К нему приходили, уходили, а она так и торчала, ни на минуту не забывая о прямой спине, никому не интересная, как фонарный столб. В какой-то момент ей стало так обидно и горько, что она мысленно встала и громко хлопнула дверью, уходя из его кабинета. Она увидела, как он вздрогнет от стука, как что-то свалится на пол, в идеале разобьется... Она с того своего несчастного детства так натренировалась, что теперь постоянно приходилось сдерживать силу рук и ног, чтобы ничего не разрушить... И Артем растерянно посмотрел бы на пустой стул. И понял бы, что может никогда ее не увидеть. Дело было в том, что он позвонил секретарше и попросил кофе: «Двойной, покрепче». Секретарша, которая знает, что у него сидит Анна, видимо, уточнила: «Два кофе?»

— Ты что, уснула после обеда? Я сказал: двойной, а не два! Как всегда, в это время. И быстрее, мне некогда. Сейчас пятиминутка.

Он совершенно забыл об Анне. Даже хуже: она просто для него не существовала. Она до соленого вкуса крови закусила губу, отодвинула на когда-то, на потом свои мечты о гордом уходе и продолжала ждать. Артем провел пятиминутку, которая длилась минут сорок. Он уходил, возвращался, он кого-то вызывал, кого-то отчитывал, кого-то хвалил... Он только Анне не сказал ни слова даже по ошибке. Она тут была не нужна, и он не собирался тратить на нее даже полсекунды. Дело вообще шло к ночи. Анна думала уже только о том, как здорово, что у нее отличный тонус мочевого пузыря и опыт многочасовых съемок, когда массовку гоняют по холоду в разных костюмах. Не хватало еще нарисоваться в приемной или коридоре с вопросом: «А где у вас туалет?»

Люди заходили все реже, телефоны вообще умолкли. Зашла попрощаться секретарша. Артем ей кивнул. И, лишь когда Анна уже начала с тоской смотреть на диван и когда ей больше не нужны были ни лучший на свете мужик, ни победа, вот тогда Артем встал, и, как интересно, он щелкнул пальцами в ее направлении, как будто подзывал собаку.

Они поехали, но не сразу к нему домой. Сначала заехали в какую-то квартиру, где было много людей, накрыт стол, но Артем коротко переговорил с серьезным, седым человеком о делах, Анна уже не понимала ни слова. Он уже повернулся к выходу, взяв ее за локоть, но тут седой человек попросил его подождать, быстро пошел в комнату, а вернулся с белой розой, которую вручил Анне. От неожиданности и потрясения у Анны задрожали губы, и она даже «спасибо» не смогла сказать.

— Мы здесь Восьмое марта отмечаем, — улыбнулся седой хозяин дома. — Смешной праздник со смешной историей, но пьем мы за женщин, а это святое. — Он поцеловал Анне руку.

И они с Артемом поехали по ночной Москве. Улицы уже опустели. Анна нашла на розе твердый шип и сознательно колола им палец, чтобы весь этот день, вечер и ночь не казались странным сном. Вдруг Артем молча припарковался у маленького цветочного магазина, который еще работал. Так же молча вышел… А вернулся с корзиной бордовых, бархатных роз. Анна почувствовала, как расширяются и округляются ее глаза. Он поставил корзину на заднее сиденье, сел рядом и сказал:

— Извини, не напомнили бы, сам бы сроду не вспомнил. Выпьем за тебя, за женщину дома. Там и поздравлю.

И он наконец посмотрел на нее. Да, она ждала не напрасно. Господи боже мой, у нее до утра столько времени. Она умелая, страстная и… ой, да он ей нужен! И не только потому, что это самый классный мэн на свете. Он ей просто нужен. Его руки, его запах, его взгляд и голос. Она хочет… Просто обычное утро, проблемное и серое, даже бедное, как у мамы. Но чтобы он точно был рядом. Она бы варила щи, стирала носки и чистила его туфли. Она любит его туфли. Она любит? Это оно?

И все было как в самых смелых ее мечтах. Такая ночь, такой секс, такая уверенность в том, что она всего добилась. Что утро будет новым и ясным. Аня глубоко вздохнула и спрятала в подушку счастливый вздох. Лежала так в изнеможении долго. Прогоняла сон. Услышала, что Артем встал. Хотела попросить его, чтобы принес ей воды. Но не было сил ни на слова, ни на движения.

Его как-то слишком долго не было. Неужели он не устал? Неужели пошел работать? Скоро рассвет... Аня встала и тихонько, босиком пошла к его кабинету. Дверь приоткрыта, свет горит. Да, работает. Надо подойти, обнять, уговорить вернуться в блаженный покой. Так мало осталось часов на двоих. Он ее послушает. После того, что было. Она ступила на порог и остановилась в недоумении. Он не сидел за столом. Он стоял посреди кабинета и сосредоточенно, напряженно смотрел на телефон, который лежал на журнальном столике ручной работы. Артем специально заказал такой столик, высокий, с бортиками, деловой и чем-то похожий на цветок на тонком стебле — для телефонов. Он решительно шагнул, взял айфон в руки, нажал вызов.

— Не разбудил? Я так и подумал, что ты не спишь. Да нет, ничего не случилось. Просто я на работе совсем забыл, что сегодня Восьмое марта, у нас же нет выходных. Тебя не поздравил. Неважно, Дина, смешной или не смешной это праздник. Это просто повод сказать тебе, что ты удивительная женщина, что ты единственная, что скоро утро, а тебе пора спать. Не грусти, дорогая. Все у тебя будет хорошо. Уж я-то знаю. Целую. До встречи. Твой Пигмалион.

Анна ни о чем не думала. Она просто стояла босиком на пороге из дерева, которое, наверное, дороже, чем вся ее жизнь, и летела в свою пропасть — без света и воздуха. Что написано на роду, то можно убить только вместе с собой.

Глава 11

Дина устало улыбнулась телефону, после того, как ее только что, среди ночи, поздравил Артем. Праздник. Он обычно шутил над этим праздником, говорил, что в этот день все мужчины должны последними словами ругать Клару Цеткин за создание дня «женского пролетариата». Одна женщина — это проблема, а «женский пролетариат» — это чума на свободе. А тут позвонил, просил не грустить. Сказал, что все будет хорошо. «Целую. Твой Пигмалион». Мило. Дина и не грустит. Она просто не знает, с чего начать. Так долго она жила, себя не чуя. Работала, любила Лорда, заботилась о нем. И вдруг, через два года после убийства Вадима, как будто вышла из сплошного тумана, отряхнулась от липкой влаги, вычесала ее из волос, промыла слезами глаза. Выстроила в уме то, что знала, и оказалось, что она не знает ничего. Она не знает, кто и за что мог убить Вадима. Она не знает его жизни до их встречи. Она не знает, что, кроме нее и работы, было в его жизни, когда они поженились. Как он шел к этим выстрелам в спину? За пять минут до того, как Дина упала на колени перед его телом, она бы совершенно убежденно сказала, что у Вадима нет и не может быть врагов. Она так, кажется, и сказала полиции. В результате они особенно и не искали.

Тот вечер… Она в черном платье, которое прислал Артем, стоит перед своим любимым огромным зеркалом. В нем отражается не она, а олицетворение их с Вадимом любви, надежд, будущего… Стоп! Стоп, этот кадр! Точно ли в зеркале отражалась только их с Вадимом жизнь? Эта женщина в черном, с голубыми звездами у сердца — не была ли она олицетворением еще чьей-то любви? Жестокой и властной. Артем прислал в этот день ей именно черное платье. Сегодня он попросил не грустить и пообещал, что все будет хорошо. Он знает. «Твой Пигмалион». Боже, туман был спасением. Она, кажется, сходит с ума, если смогла такое предположить… Артем — не убийца, он интеллигентный благородный человек, просто с очень сильным характером. Они расстались по обоюдному согласию, он этого хотел, как и она. Не хотел бы — не отпустил. Она слабее. Он, конечно, хотел… Артем, с его непостижимо сложной душой и непредсказуемым полетом мысли. Теоретически именно такой мужчина мог выпустить на волю именно такую женщину, как она, чтобы она хлебнула этой воли досыта… И вернулась покорной Галатеей.

Мозгу Дины не хватает силы, проницательности, изощренности, чтобы понимать Артема, как она понимала Вадима. А собственно, что она понимала в Вадиме? Его влюбленность? Его корректное и удивительное отношение к тому, что она делала? Это все! Она больше ничего не успела о нем узнать. Вадим с ней даже не говорил о своей первой жене. Просто сказал, что был брак. Сказал, потому что они шли регистрироваться. Она бы и так узнала. Но это же странно. Она не задавала вопросов, считая, что сам расскажет, когда посчитает нужным. Но и он не задавал вопросов, а она все рассказала о жизни с Артемом.

Дине стало душно, виски сжало, в голове пылал пожар. Как вернуть туман, как уйти от того, с чем она не справляется. Дина бросилась в ванную, включила холодную воду и сунула голову под кран. Волосы и струи обняли ее пылающее лицо. Легкие задышали, будто корка в пустыне под ливнем. Дина выпрямилась, набросила на голову полотенце, как платок: подеревенски, концы завязала на затылке. Посмотрела в зеркало, подумала, что так она выглядит девочкой-школьницей. И глаза такие, как будто они еще ничего не видели, жизнь только предстоит. И это может быть страшная жизнь. Дина была осторожной и грустной девочкой...

Она пошла бездумно в мокром наполовину халате, обнаружила себя в комнате Лорда... Не зажигая свет, чтобы его не разбудить, встала перед обнаженной стеной. Мысль была ясная, четкая, всего одна. Если бы зеркало по-прежнему тут висело, она бы в нем увидела подсказку. Или путь. Но зеркала не было.

После убийства Вадима ее несколько дней терзала полиция дурацкими вопросами. Как всегда. Какие враги? Был ли у нее кто-то на стороне? Ревновал ли он? Был ли кто-то у него? Лезли в его компьютер и телефон. Спрашивали про Артема. Даже являлись к нему на работу. Он отказался приезжать в отделение. Пришли такие надутые, в довольно большом количестве, сказали секретарше, чтобы не пускала никого. Разговор займет не меньше часа. А вылетели, как из пушки, через десять минут. Кто они и кто Артем... Он одной кнопкой вызовет любого министра или прокурора. Не потому, конечно, что такой серьезный журналист, а потому, что настоящий магнат. Все заглохло, как и ожидалось. Дине сказали, что Вадима, скорее всего, бандиты перепутали с кем-то другим. Вроде бы в их доме жил член ОПГ, который примерно в это время скрылся. Дина была рада, что все это кончилось. В неумной фразе «все равно не вернешь», возможно, единственно верный смысл для ее ситуации. Но почему время ее не успокоило? Почему ничего не прошло? Почему именно сейчас кажется, что это важнее всего: знать, кто убил Вадима? Риторические вопросы. Ответ ясен до вопроса: потому что она жива, а не умерла вместе с ним.

Через несколько дней после похорон Дина с Лордом просто проходили мимо зеркала. Обычно, медленно, спокойно... Они сначала ничего не поняли, оказавшись под дождем из миллионов мелких сверкающих осколков. В полной тишине зеркало в тяжелой дубовой раме, так тщательно укрепленное на стене, сорвалось и рассыпалось в воздухе, упало на них зеркальными лепестками. Что это было? Дина не может понять до сих пор. А тогда ее поразило больше всего, что не только на шкуре Лорда, но и на ее лице и голых руках не осталось ни царапины. И когда она эти горы блеска выметала отовсюду, когда собирала просто в ладони, тоже ни разу не порезалась и крови не было. А у нее такая тонкая кожа.

Только сейчас она поняла. То был знак от Вадима. Он просил ее — идти по осколкам до правды. Как это сделать? Это другой вопрос. Главное, система — идти по осколкам. Их легко найти по боли. Тот осколок, который в сердце поворачивается иногда, и есть начало пути.

Глава 12

Анна поставила машину у небольшого строения в одном из переулков тихого центра. Это был скромный, недорогой и страшно симпатичный, необычный дом. Деревянный, по крайней мере, так обшит снаружи, одноэтажный, с экзотическими мансардами на плоской крыше. У него не было строгого стиля. Он представлял собой что-то среднее между традиционным маленьким поместьем старой России и японской минкой. И вывеска была из русских слов, украшенных элементами японских иероглифов. «Японская лавка. Лучшие блюда из морепродуктов. Самый изысканный десерт».

Машин в это время во дворе было мало. Для быстрого завтрака по пути на работу здесь хорошо, но слишком дорого. Для тех, кому есть что жалеть. Анна, не выходя из машины, открыла свою небольшую сумочку от Нины Риччи, подарок Артема, привезенный из Парижа. Посмотрела и жалко улыбнулась, чтобы не заплакать. Да, как всегда. Аккуратная пачка денег. По виду даже больше, чем обычно. Так ведь Артем обещал поздравить ее с праздником. Чертовым праздником любимых и купленных женщин! Эти категории никогда не смешиваются. Позади у них не такой уж маленький по нынешним временам опыт почти совместной жизни. Она — постоянная женщина Артема как минимум полтора года. Не живут официально вместе? Так муж и жена тоже не всегда живут вместе. Многие супруги встречаются так, как они, даже реже, бывает, десятилетиями или всю жизнь. Им это удобно, уже не нужны перемены ни в образе жизни, ни по составу…

Вот в сумке лежит аккуратно сложенная причина, объясняющая отсутствие какой-либо стабильности ее связи с Артемом. Да, была ночью любовь-морковь, страсть, но Анна и сейчас больше всего на свете хочет варить ему щи и чистить туфли. Она их по-прежнему любит, его туфли. Любит… Пора мозгам и сердцу привыкать к этому слову, жесточайшему из всех. Слову-пытке. Он утром расплатился с ней именно за ночь, как в первый раз, как с девушкой, снятой на сеанс секса, слово «проститутка» ей было больно произнести даже мысленно. Столько времени вместе. Ему самому удобнее было бы просто переводить ей на карту какую-то определенную сумму раз в месяц. Именно так делают мужья и постоянные любовники. Но Артем педантично расплачивается за ночь. Не потому, что жадный и боится переплатить за лишнюю ночь. Ночь после ее отставки. Он как раз достаточно щедрый. Просто не вкладывается в неперспективные проекты. В бездарные ролики Никиты вкладывается, хотя начинал это делать просто как помощь ей в заработке, но теперь понял, что есть спрос и доход. А в нее не вкладывается. Нет у него самого спроса на такую женщину, на такую мастерицу эффектных появлений…

Грусть-тоска такая, хоть в Москва-реку машину направляй. Красиво уйти на дно. Так он и не узнает, возможно, куда Анна подевалась. Только мама будет безутешно плакать. И Валечка, которая так ее всегда ждет… Об этом даже думать невозможно. О том, чтобы так обидеть и причинить лишнюю боль этой девочке, что родилась не такой, как все. Когда Валя была маленькой и Аня носила ее на руках, она ведь ей первой сказала «мама». Она и сейчас думает, что у нее две мамы. Две женщины на этом свете, которым она нужна. И папа, который так перерабатывает и устает, что выполняет только техническую роль. Отремонтировать кресло-коляску, сбить кроватку, отнести уже немаленькую дочку из одной в комнаты в другую, в ванную, на балкон, во двор. Папа, который так сильно кашляет по ночам, что мешает всем спать…

Анна щелкнула замочком сумки. Эффектно вышла, хотя зрителей и не было, эффектно пошла от бедра к входу в лавку. Бросила небрежно на бортик в раздевалке свой серебристый песцовый жакет, пошла, не оглядываясь. Она — постоянный клиент и почти подруга владелицы. Села за свой столик у окна, где занавески с российским орнаментом из кружева так стильно гармонировали с дивными, таинственными японскими веточками, на которых редкие и неправдоподобно красивые цветы. Она издалека кивнула менеджеру, который неторопливо направился в кухню. Через пять минут ей принесут ее непременный гранатовый сок в высоком бокале, теплые греночки, обсыпанные соленым миндалем, шарики из лепестков сыра с начинкой из кусочков краба. Конечно, настоящий японский кофе с шапкой взбитых сливок, фрукты в желе. Какое пирожное принесут, Анна никогда не знает. Это будет подарок Людмилы, владелицы лавки.

Ожидая заказ, Анна перевела на карту матери все, что оставалось у нее на карте. Себе она ночью заработала… Она доедала тающее во рту пирожное, когда за столик присела Людмила, как всегда, безупречно причесанная, в простой удобной одежде... От нее просто шла волна порядка, равновесия, уверенности. И силы.

— Ну как? — спросила она, кивнув на тарелку с последним кусочком пирожного.

— Как... Спрашиваешь. Стараюсь язык не проглотить. И больше не просить. Мне на тренировку, на съемки и все такое...

— Да, — кивнула Людмила. — Калорий ты получила достаточно. Сможешь — приезжай на обед или ужин. За мой счет. Бонус постоянному клиенту в честь вчерашнего праздника. Как провела?

— Хорошо. Даже отлично.

Вдруг последний кусочек воздушного пирожного застрял у нее, что называется, поперек горла. Она не могла ни сделать глотательное движение, ни вздохнуть. Какой-то странный спазм, как будто ей на шею петлю набросили. Людмила внимательно смотрела, как она с этим справляется. Потом налила ей в стакан из-под сока воды из кувшина, который всегда стоял на столе. Анна глотнула, задышала, глаза ее были полны слез.

— Вкусное у тебя пирожное, Люда, — сказала она. — Это и был мой праздник. Как было бы здорово подохнуть от этого последнего кусочка. Люда, я хочу послать и тренировки, и съемку. Позвоню, скажу, что ногу растянула. У меня такая роль — метлой можно заменить. Отведи меня в свою мансарду, помнишь, я там как-то у тебя спала, принеси мне столько водки, сколько надо, чтобы стать бесчувственной, как пень. И все забыть. Тебе виднее, сколько надо.

Глава 13

Дина хорошо и четко отработала в этот день. Быстро со всеми попрощалась и понеслась домой на перекладных. Она всегда торопилась к Лорду. В этот день было что-то еще. Работать вечером она не собиралась, у нее окно. Но она знала, что должна спешить для чего-то важного. Дину почти все знакомые считали умной. Но она сама была уверена, что это великое преувеличение. Не дура, конечно, нормально образована. Но без выдающихся данных. Обычный, организованный мозг. Великих открытий не сделает, гениальных истин после себя не оставит. Ей дано ловить лучшее и самое интересное. Она может выразить мысль, возможно, действительно лучше многих. Но тут не в уме дело. Нерв! Постоянно натянутый, чуткий, на все реагирующий, причиняющий нестерпимую боль или — вдруг, неожиданно — только ей понятную радость. Он эгоистичен и нетерпим. Чаще всего требует ее уединения, из-за него ей скучно на самых веселых вечеринках. Он заставляет ее плакать, когда она этого не хочет. Усталая и подавленная, она может танцевать под незнакомую мелодию, на которую случайно наткнется в поисках информации в Интернете. Или мурлыкать песенку из детства, ранней юности, которую, казалось, давно забыла. Возможно, конечно, это все ее фантазии, о нерве-повелителе, оправдывающие то слабость, то нерешительность, то страх, то слишком отчаянную смелость, которая может привести к беде. Она постоянно слышит после записи: «Ну ты выдала. Как ты не боишься?! Это же отмороженный козел, ему все сходит с рук. И, говорят, он уже не одного журналиста того...» Да она боится больше всех на свете. У нее всего пара рук, и нет рядом никого из родных людей. Вообще никого у нее нет. А дома беспомощный Лорд. Если что-то вдруг... Он погибнет. Или Артем его усыпит. Когда вскроют дверь. И девушка ждет ее в тюрьме. Что Дина может? Но ведь вдруг сможет! Какая-то капля всегда бывает последней в любом преступлении... И это может быть именно Дина. Еще то, ради чего она сейчас так бежит домой. К Лорду она успевает, можно не лететь сломя голову... В чем дело, она поймет на месте.

Она вошла в магазин рядом с домом. На автомате взяла в разных местах обычный набор продуктов. На выходе посмотрела налево: там аптечный киоск. И быстро подошла, купила несколько тюбиков аскорбинки. Весна, авитаминоз, а ей нужно много сил. Почему-то именно сейчас понадобились дополнительные силы. Она обычно никогда и ничего для себя не покупает в аптеках. Только для Лорда.

Дома тоже все было, как обычно. Только, когда они с Лордом ужинали на кухне, она выпила большую чашку крепкого кофе. Никогда не пила его, если не собиралась работать. А сегодня свободный вечер.

Дина уложила Лорда, убрала квартиру, долго и старательно терла себя мочалкой в ванне. Кожа стала ярко-розовой и горела. Она обдала себя сильной струей холодного душа. Встала затем, обнаженная, у зеркала и гладко зачесала назад свои густые темно-русые волосы до плеч, затем заплела их в толстую, короткую косичку и стянула ее резинкой. Когда завязала на талии пояс хлопкового вафельного голубого халата, опять долго мыла руки, как хирург перед операцией.

И лишь после всего этого Дина спокойно вошла в гостиную и зажгла настольную лампу на письменном столе Вадима. До сих пор она только стирала пыль со стола, лампы и его компьютера. Ни разу ей не приходила в голову мысль его включить. Нет... Приходила... После того, как там порылись следователи. Ей захотелось войти в этот еще живой мир мертвого Вадима и все стереть. Чтобы больше никому было неповадно. Он был таким... Он все хранил в компе, смеялся, что разучился писать слова и цифры совсем, трудно расписываться на документах. Ничего не перебрасывал на айфон, потому что телефоны могут потеряться, а у него важные материалы.

Вход у него с паролем. Его знала только Дина. Она тогда отказалась сказать его ментам, закрыла ладонью и набрала сама. А пароль до смешного простой, детский. Наверное, его подобрал бы школьник. Просто они придумали его вместе. Когда все у них было вместе. Он набирал, она сидела у него на коленях, они целовались. Dinettasan555. Вот такой пароль они придумали. Пятерки, потому что она всегда была отличницей. И когда она хотела тогда войти, чтобы стереть все материалы, ее просто скрутила острая физическая боль. Болело неизвестно что и все. Дыхание перехватывало. Это нельзя, поняла она. Это кошмар. Компьютер — это жизнь человека, его дела, мысли и тайны. Когда человека нет, это разъяренный монстр, защищающий то, что нужно теперь только мертвому, с яростью преданного пса. Так тогда ей показалось.

А сейчас она спокойно и сосредоточенно села за стол и начала разбираться в электронном рисунке оборванной жизни. Раз ее так тянет, значит, это возможно и есть путь к правде. Нужна ли ей эта правда? Она что, убивать пойдет врагов Вадима, если чудом вычислит? Она, которая сжимается от страха, если чувствует запах алкоголя от соседа с первого этажа, когда он что-то ей говорит, пьяно улыбаясь в лицо?.. Да, она думает, что кто-то, кто на нее особенно зол, однажды может кинуть этому деградировавшему существу небольшую сумму, и он, который ей улыбается, не задумываясь, пробьет голову Дины лопатой или ломом. Это ведь обычно так и бывает, и нет другой версии, и отсидит он к своему удовольствию на всем готовом. Нормальному человеку тюрьма хуже смерти, а такому — его среда.

Пьяный сосед — это одно. Ее дело, миссия — другое. Да. Если нужно, она убьет. Ее нерв скажет, нужно или нет. Главное, дойти до разгадки.

Глава 14

Анна открыла глаза. Она, одетая, лежала на удобном и забавном сооружении, которое наверняка было сделано под японскую кровать, какую-то национальную лежанку. В комнате, нежной, яркой и женственной, значит, такими бывают просто комнаты — для женского покоя и радости — у этих японцев, горел мягкий, как будто теплый свет, а у окна, распахнутого настежь, стояла Людмила.

Она смотрела, как поднимается вверх, пробивая ночную тьму, дым от ее очень крепкой сигареты. Анна удивленно и завороженно слушала, как эта Людмила, у которой, казалось, не было ничего в жизни, кроме железного порядка, — как она негромко, но очень точно, выразительно и страстно поет своим низким голосом:

— «Он — капитан, и родина его Марсель. Он обожает спор, и шум, и драки. Он курит трубку, пьет крепчайший эль. И любит девушку из Нагасаки»[1].

Анна дослушала до конца. До того конца, который в детстве заставил ее рыдать. Когда «джентльмен во фраке, однажды накурившись гашиша, зарезал девушку из Нагасаки». Дальше «уходит капитан в далекий путь и любит девушку из Нагасаки... И вспоминает карие глаза и бредит девушкой из Нагасаки».

— Люда, — позвала она. — Как красиво ты поешь, я не знала. А я долго спала?

Людмила медленно повернулась к ней и внимательно посмотрела, улыбаясь дружелюбно и немного насмешливо.

— Ты вообще не спала, Аня. За кого ты меня принимаешь. Думаешь, тебе на самом деле принесли ведро водки, как ты просила? И ты вырубилась, как пьяный извозчик?.. Нет, дорогая. Я дала тебе не так много настоящего саке, самого дорогого, чистого, как слеза японского ребенка. И ты перестала мычать, как больная корова. Это ты как раз пела о девушке из Нагасаки, я просто заразилась. И ты не просто пела, ты, как она, танцевала джигу «в кабаках». Я смотрела как спектакль. И даже подумала вот о чем. Чем ты занимаешься?.. Какую мерзость ты

---

[1] Песня Владимира Высоцкого «Девушка из Нагасаки».

людям впариваешь по телику! Ты похожа на японку, у тебя есть артистический талант. Сгноит ведь тебя твой козел Никита. Я, пожалуй, найму пару нормальных людей, они поставят тебе настоящее шоу, под японский саксофон.

— Ой! Да? Артем...

— Без всяких Артемов. Мне это самой окупится.

— Но я спала, Люда! Я ничего не помню.

— Ты спала ровно пять минут. И выспалась. Цвет лица как у человека, глаза не похожи на дырки, которые слезоточат. Знаешь, я этого не выношу. Не жалко, а именно терпеть не могу.

— Ты никогда не плачешь?

— Нет!

Анна встала, подошла к небольшому круглому зеркалу на стене.

— Слушай, да... Вроде бы я действительно так никогда не выглядела. Спасибо. Ты сказала, что саке — это дорого, у меня...

— Это в принципе дорого. Тебе бонус, как я и обещала. А что у тебя в сумке, ты показывала. Сначала пела про кораллы, алые, как кровь, и шелковую блузку цвета хаки, а потом трясла пачкой, которой с тобой расплатился за ночь Артем. Хотела выбросить ее в окно. Я не дала. Мы можем разобрать твоего Артема сейчас на косточки, не найти в нем ни одного чистого кусочка, из-за которого стоило бы так убиваться, потом плюнуть и растереть... Но деньги есть деньги. Ими не бросаются. Как заработала, так заработала. А что хотела не денег, а любви, так это твои проблемы. К сожалению. Ты проголодалась?

— Ты знаешь, да.

— Сейчас принесу что-нибудь легкое и в то же время питательное. Ты утром будешь как новая. Пойдешь жить и все принимать, как есть.

Людмила вернулась с небольшим бамбуковым подносом. Они ели какое-то блаженство, запивали какой-то радостью. Это однозначно было время отдыха от всего, даже от себя.

— Он вообще приглашает тебя только на ночь? — спросила Людмила.

— Он вообще меня не приглашает. Он просто мне не отказывает, когда я звоню и приезжаю. Но вчера я ждала его целый рабочий день. Он работал, а я сидела, как истукан, меня никто там не видел, хотя я торчала посреди его кабинета. Спасибо, что не натыкались, не наступали.

— А ты кого там видела? — вдруг спросила Людмила.

— Да всех, наверное. Говорю же, практически с утра ждала Артема. Дину его видела, бывшую жену, звезду эфира, супер-пупер…

— И как она?

— Бледная до синевы. На лбу морщина, под глазами чернота. Косметики — ноль. А куртка на ней… Я бы в такой мусор не вынесла. — Анна выпалила все это с облегчением. Это и есть та минута, для которой она запоминала Дину в подробностях. Это даже лучше, чем она думала: не одна вспоминает в свой плохой час, а рассказывает подруге. Теперь-то Людмила ей точно единственная подруга.

— Плохо, говоришь, выглядела? — Глаза Людмилы сузились, как будто она рассматривала едкий дым своей сигареты, но сейчас она не курила. — Ну что же. За все в жизни надо платить. Несладко, видно, быть вдовой.

— Ты ее знаешь? В смысле не только по телевизору?

— Она отобрала у меня мужа. Еще до того, как он к ней ушел и на ней женился. Вадим — взрослый и умный мужик — полюбил картинку на экране. Я видела, но всерьез не принимала. Мы нормально жили, как все. Но он вдруг стал невыносимым, только потом я поняла: он меня провоцировал на скандалы, хотел, чтобы первой бросила. Не вышло. Тогда он просто взял и ушел. И с работы хорошей ушел, нашим общим знакомым соврал, что его уволили с канала. С тех пор у меня нет больше знакомых. Всем он это врал. Потому что перешел к твоему Артему на гораздо меньшие деньги. А теперь его нет... Вот и скажи мне: виновата Дина или нет в том, что он убит, а моя жизнь — каторга?

— Виновата, — с ненавистью выдохнула Анна.

Глава 15

Людмила уехала из своей лавки, когда Анна уже крепко и сладко спала. Было уже за полночь. Когда-то Людмила вводила круглосуточный режим работы. Это было выгодно по деньгам, несмотря на то что требовало большего количества сотрудников и оплату ночных смен. Вскоре она этот режим отменила. После первой драки клиентов с поножовщиной. Ей не нужны такие проблемы. Не шалман открывала. Так поналезет все ночное отребье, пойдут наркотики в ход. За этим не уследишь. Тем более сама она никогда не оставалась на ночь. Это было железное правило: спать в своей кровати и со своим мужем. Даже тогда, когда это стало чистой условностью. Она ложилась, а Вадим садился за письменный стол. Ничего необычного в этом она не видела: у него действительно было столько дел, суток не хватало, — ничего особенного, кроме регулярности. Она — не Барби, хлопающая вставными глазами, она и не большой психолог, конечно, просто женщина с хорошо работающей сигнализацией. И сигнализация выла так, что лопались барабанные перепонки: «Он тебя не хочет, не хочет, не хочет». Людмила не делала из этого трагедию: все бывает у жены с мужем. Месяц не хочет, потом опять захочет. Вадим мужик порядочный, по бабам не бегает. Так оно и случалось. Вадим к ней приходил... Но сигнализация! Люда видела, как он скачивал все передачи с Диной в свой компьютер. И как-то было понятно, что не для работы. Хотя ей сказал, что эта журналистка собирает хороший и самый свежий материал.

Но однажды, когда он, скажем так, выполнял свой супружеский долг, Людмила взглянула на его лицо с плотно закрытыми глазами... Ей страшно захотелось их выцарапать, эти глаза, и то, что они сейчас видят. Ничего подобного она, конечно, не сделала. Она поступила иначе.

— Ох, — вдруг сказала Люда. — Пусти на минутку. Извини, что так... Но до смерти захотелось покурить.

Вадим отстранился и посмотрел на нее удивленно. Она спокойно достала из тумбочки сигарету и зажигалку, откинулась на подушку, глубоко затянулась и с наслаждением выпустила колечки дыма практически ему в лицо. Она никогда не курила в спальне при нем. Держала сигареты как заправский курильщик, чтобы покурить на балконе, когда будет невтерпеж. Обычно когда мужа не было дома. Он хотел что-то сказать, но, взглянув ей в глаза, все понял и просто кивнул, повернулся спиной.

Так они объяснились. После этой ночи Вадим прекратил ненатурально заводиться из-за немытой тарелки или неубранной квартиры. Вызывать жену на скандал было уже бессмысленно. Вадим предложил ей развестись. Никак не объяснял, то есть сказал: «Так будет честнее». Людмила сразу согласилась. Он собрал небольшой рюкзак и однажды утром уехал совсем. Квартиру при разводе, который ускорил по своим каналам, оставил ей, у него была однокомнатная квартира бабушки.

В первые дни или даже месяцы Людмила в прямом смысле рвала на себе волосы, билась головой о стенку. По ночам ей было вроде ясно, что виновата она. Что придумала несусветную блажь с этой влюбленностью мужа в женщину на экране телевизора. Да если бы все бабы были такими сумасшедшими, ни одной семьи бы на свете не осталось. Она ведь сама его отталкивала, как могла… Из-за такого бреда.

А потом узнала, что он женился на Дине. Он получил свою игрушку. Людмиле осталась ее отличная сигнализация. Людмила жива, как это ни тяжко иногда или всегда. А он…

Дома Людмила сразу упала на кровать, сбросив на коврик одежду. Теперь ясно, что все легче, чем борьба с враждебной ночью. Легче провести на ногах двенадцать часов, легче взобраться на высокую вершину, легче соревнования по борьбе, стрельба в тире и… наверное, на настоящей войне. Там, где видишь того, кого побеждаешь или убиваешь. А своих поражений она не боялась. Собственную смерть никто не видит. Но истязание темной мукой, которую ни достать, ни развеять, ни выгнать в окно, ни отскрести с пола, стен и потолка… Разве что спалить вместе с собой. И тут внезапно Людмила уснула. Провалилась в сон без видений, открыла глаза, когда луч солнца лежал на полу, как светло-рыжий котенок. Людмила подошла к окну: солнце совсем раннее, далекое-высокое.

Она успела умыться, одеться, когда раздался звонок в дверь. Людмила открыла, уверенная в том, что это кто-то из соседей. Больше некому. И застыла в изумлении. На площадке стояла Дина.

— Доброе утро, Людмила. Извините, что так рано. Боялась вас не застать. Мы можем поговорить немного? Ой, я не представилась.

— Этого и не нужно, — улыбнулась Людмила. — Я смотрю телевизор. Заходите, Дина. Не ждала, честно. И, еще честнее, обошлась бы. Не люблю ничего ворошить. Но раз пришли… Милости прошу.

Глава 16

Анна выспалась, как королева. Если, конечно, все королевы хорошо спят. Утром сквозь Людмилины бамбук, веточки, скромные и ослепительные по красоте цветы, каких вроде не бывает, в ее мансарду прорывалось совсем весеннее, яркое солнышко. Анна смотрела на окно и вспоминала свой предутренний сон. Может, это был не сон. Она просто видела, как танцует на небольшом подиуме в зале этой японской лавки. Она видела свой костюм, высокую прическу с гребнями и заколками-палочками в густых волосах, слышала томный стон японского саксофона. Ей было хорошо, как никогда в жизни. За все время отношений с Артемом она впервые столько часов о нем не думала. Она не была прикована мыслями к нему, будто к позорному или не позорному столбу. Танцевала и отдавалась музыке. Свободная и прекрасная как цветок...

Когда Анна спустилась вниз, ей улыбнулась симпатичная девушка-официантка — Людмила принимала на работу только симпатичных и улыбчивых, — сказала:

— Доброе утро. Надеюсь, вы хорошо отдохнули. Завтрак принесу за ваш столик через несколько минут. За счет заведения, так сказала хозяйка. Повар в таких случаях добавляет десерт от себя. Мне кажется, вы ему нравитесь, — девушка вдруг озорно подмигнула. — Значит, будет вкусно.

Ух ты! Как начинается день! Повар, красавец-итальянец, которого Людмила привезла из Италии как свой трофей, стоял на пороге коридора, ведущего в кухню, смотрел своими всегда серьезными глазами-сливами и поднял в знак приветствия руку. Аня медленно пошла, нет, она понесла себя, как драгоценность, к привычному столику. Там стояла маленькая ваза из синего толстого стекла, в которой было всего три веточки странных цветов, как будто выросших из морской глубины. На столах лавки цветы обычно были без запаха, чтобы не мешать аромату блюд. Но эти... Кажется, они пахнут как сирень, только тоньше, приглушеннее, без сладости, горечи, как туман, что ли… Может, Анне просто чудится их запах.

Вскоре принесли ее завтрак с новым шедевром от повара. И она, чтобы до этого удовольствия решить сегодняшние проблемы, посмотрела в свой календарь. Репетиция у Никиты. И все. Сегодня пятница, это всегда у Анны относительно свободный день. Студии заняты звездами, которых записывают на эфиры выходных.

— Привет, Ник, — сказала она, набрав номер. — Ты извини, но я сегодня не могу. В общем, нога, которую вчера растянула, еще болит.

— Детка, ты в своем уме? — захлебнулся слюной от негодования Никита. — Это очень дорогой заказчик! Ему надо срочно. За срочность — отдельно.

— Ну, что делать, — флегматично ответила Анна. — У него много заказов, а у меня всего две ноги. Представляешь, на всю жизнь.

— Я, конечно, в восторге от того, что каждая курица считает возможным для себя шутить со мной. Короче. Неустойку снимаю в любом случае. В понедельник ищу замену.

— И я в восторге, когда каждый лакей меня пугает. Ты себя слышишь, Ник? К понедельнику мой любовник снимет с тебя неустойки за всех заказчиков, а затем и самих заказчиков. Так что ищи мне замену и занимай с ней очередь в конце на любую массовку. Только не пройдешь ведь. Ты свое брюхо в зеркале видел? Ладно, приятных выходных. Если хочешь, скину тебе диету для похудения. До связи.

Вот теперь можно позавтракать, чувствуя себя человеком и глядя на подиум, где она вскоре будет танцевать… Какой-то режиссер ее точно заметит. Здорово она с Никитой. Не его собачье дело тот факт, что она ни о чем не может попросить Артема, тем более о том, что касается его дел и денег. И унижаться так никогда не будет. Она Артему как Никита — для временного пользования. Так. Все же вспомнила. Значит, надо забыть. Всего на один день забыть. Это ведь так просто, пока ее ждет Денис… Всегда и без надежды ждет. И только сегодня она будет с ним, не думая об Артеме.

Глава 17

Дина сидела на твердом диване в комнате Людмилы, перед ней был низкий стол, на котором — ничего. Ни вазочки, ни чашки, ни оставленного листка бумаги, ни нитки какой-нибудь или пылинки… Там, где живет человек, не может быть такой абсолютной пустоты. Это не чистота. Это жесточайшая стерильность. Так не убирают, так казнят следы.

Людмила стояла у открытого балкона и курила. Стеклянную пепельницу держала в руке.

— Так чем обязана визиту? — наконец повернулась она к Дине лицом. Нормальное такое лицо с аккуратными чертами. Подбородок только для женщины слишком мощный, волевой. Глаза темно-серые, спокойные, разумные и… Тут тоже как со стерильностью квартиры. Глаза спокойные до беспощадности. Нелегкий человек, разговор по душам точно не получится. Так не для того Дина и пришла. Ей только нужно кое-что уточнить. Потом… возможно все. И битва не на жизнь.

— Людмила, я давно должна была перед вами извиниться за то, что не позвала на похороны Вадима. Понимаете, это было все так... Следствие, экспертиза, потом разрешение похоронить... Была только наша редакция, я вообще ничего и не помню... Артем всем занимался. Это наш владелец канала.

— И ваш первый муж. Кто же этого не знает? А что про меня не вспомнили, так не переживайте. А вы вообще знали о моем существовании?

Дина ответила не сразу.

— Именно вам мне объяснить это труднее всего. Дело не в пренебрежении или неприязни, что ли. Просто — и я об этом сейчас постоянно думаю — у нас с Вадимом оказалось очень мало времени. Мы столько всего каждый день оставляли на завтра... Это «завтра» казалось безразмерным. Только сейчас я понимаю, как это много — целый год. У нас был год! И уже два года его нет. А я все еще не могу в это поверить. Можно, я не буду оправдываться? Да, я просто узнала перед свадьбой, что у Вадима был брак. Он мне сказал. В наших общих документах — два свидетельства о расторжении: его и мое. Я знала только, как вас зовут — Людмила Николаевна Арсеньева. И адрес. Остались документы на приобретение Вадимом этой квартиры, потом — о том, что он ее переписал на вас.

— Оправдываться? — зло рассмеялась Людмила. — Вот уж избавьте. Неинтересно. И потом у меня рабочее утро. Во вдовьих слезах мы с вами не сольемся. Торговка я. Время — деньги, хозяйка корчмы. А на похоронах я была. Розу принесла, почти черную удалось найти. Посмотрела на него в гробу. Запомнила. Он не изменился. Потом розу бросила в яму, на крышку, когда начали засыпать. И все. Закрыла тему.

— Что? Как вы сказали?

— Как слышали. Вадим, мой муж, серьезный и взрослый человек, стал рваться к вам, увидев на экране. Смешно, да? Стыдно кому-то рассказать. Я и не рассказывала. Думала, мой психоз. А он своего добился. И жили вы, миловались, ни о ком не вспоминали год. Целый год. А какая-то брошенная торговка целый год пила собственную кровь. То ли это вообще занятие — дрянь, то ли кровь у меня ядовитая. Но мне не понравилось. Я поехала, посмотрела на него в гробу и закрыла тему. А кровь у меня, кажется, кончилась. Недавно сильно порезала палец на работе профессиональным, очень острым ножом, а крови не было. Чистая трещина. Мы его помянули, Дина? Теперь давай быстро говори, чего тебе нужно. Ежу понятно, что тебя не жалость прошибла.

— Да, не она, — тихо сказала Дина. — Раз помянули кровью, тогда и я буду обращаться на «ты», Люда.

— Да уж. Почти родня. Одним семенем мазаны.

— Ох, ну и стиль у тебя.

— На телевидение к бывшему мужу не возьмешь?

— Я так понимаю, ты входишь во вкус. А у меня тоже много дел. И всего один вопрос. Можно?

— Валяй.

— Я ночью разбиралась с делами Вадима в его компьютере. У нас общий пароль. Он часто хранил документы, отправляя себе на почту. И никогда не удалял письма. Там их накопилось тридцать три тысячи за несколько лет. Еще до меня. Деловая переписка, дружеская, несколько писем от тебя…

— Да? Возможно. Я не люблю звонить. Наверное, были дела.

— Были. В день нашей свадьбы ты написала: «Поздравляю с законным браком и с рождением дочери Виктории Вадимовны Арсеньевой». Его ответа я не нашла. Видимо, он позвонил или приехал…

— Видимо. Но не твое дело. И теперь ты уже не узнаешь, каково, а? Он был с тобой, а наши дела тебе не доверил. И ничего не поделаешь.

— Как, однако, тебя разбирает, Люда. Успокойся. Я не собираюсь убиваться по тому поводу, что у Вадима была, кроме меня, и другая жизнь. Есть множество причин, по которым Вадим мне об этом не сказал. Одна из них — он по-детски строил тогда сказочный замок нашего союза…

— Это точно. О том, что в нем есть недоразвитость, я подумала, когда он влюбился в экран телевизора. И это было так непреодолимо, что я подловила его с беременностью. Хотела задержать, вернуть в нормальную, взрослую жизнь. Не вышло, а дочка родилась, аборт было поздно делать.

— Понимаю. Людмила, ты ему еще раз написала.

— Не помню. Может быть.

— Не может такого быть, что не помнишь. Потому что написала следующее: «Помяни сегодня рабу божию Викторию, дочь Вадима и Людмилы. Твоя дочь умерла». Письмо пришло за несколько дней до убийства Вадима.

В руке Людмилы треснула и рассыпалась стеклянная пепельница. Кровь в ее безумно сильных пальцах, оказывается, была… Она лилась на стерильный пол.

Глава 18

Денис стоял в полумраке вечно темной комнаты его съемной квартиры в проблесках жалкого дневного света, который не пропускало окно, ни разу за последние годы не мытое. Да ему свет и не нужен. Он сам светится и в кромешной ночи. Кто-то при Анне назвал его Аполлоном. Анна нашла потом снимок скульптуры в Интернете, увеличила, долго смотрела. Да тьфу этот нахальный каменный мужик против Дениса. На Дэна иногда больно смотреть. В его синие преданные глаза, на его кудри, как будто специально завитые, на красивые плечи, на руки, сильные и все равно еще полудетские, тонкую талию, плоский мускулистый живот, длинные идеальные ноги. Такими ногами какая-то тетка могла бы дойти до звания «Мисс Вселенная» без всяких папиков. Да не только тетка. Денису всевозможные менеджеры-продюсеры продохнуть не дают, когда Анна вытаскивает его на какую-то студийную тусовку. А он работает грузчиком! Когда его в очередной раз кидают с оплатой, подрабатывает в этом доме дворником. Иногда его поднанимают дворники-мигранты, которые в морозы или грязь уезжают к себе на родину. Или просто им неохота в снегу-грязи ковыряться. Денис никогда не спрашивает, сколько заплатят. Берет сколько дадут.

Ему восемнадцать лет. Он на десять лет младше Анны. И в этом, может быть, его беда. Анна всю жизнь терпеть не могла даже сверстников. А уж тех, которые моложе, их вообще за людей не считала. Ей со школы нравились взрослые, опытные мужчины. С ними можно чувствовать себя женщиной, а не мамкой-нянькой. Денис, конечно, другое дело. Вот стоит он посреди этой конуры, как всегда, совершенно голый: в этом он на самом деле похож на языческого бога, ему мешает одежда, — а она лежит на кровати и смотрит на него, как на картину, как на застывшую сказку о принце... Какая жалость, что ей это не нужно. Потому что он любит ее вроде всерьез. Сейчас, в свои восемнадцать. Может, если бы отмотал с ней пару десятков лет совместного брака, возненавидел бы, как старую каргу, злобную, некрасивую, необразованную. Она ведь ему ни по каким качествам в подметки не годится. Ни по красоте, ни по уму, ни по развитию. Он может всю ночь или полдня читать какие-то серьезные книжки. Даже из мусорного бака их приносит, очищает и сушит. Потом берет в руки, как великий подарок, и читает. А ей скучно на книги смотреть вообще.

Он и в постели — бог. Анна закусила до крови губу. Не думать о руках, губах Артема. Не вспоминать их последнюю ночь. Уничтожить, истребить в себе эти свои несчастные мечты про его чертовы носки и туфли, которые она собралась стирать и чистить. Ей такую честь не окажут. А тут... А тут парень-мечта, от взгляда на которого все рты открывают, стоит перед ней, на все готовый ради ее слова, вздоха, поцелуя.

— Дэн, а за что ты меня так любишь?

— Ни за что, — серьезно отвечает Денис. — Просто скрутило, как болезнь, задавило, как смерть, подняло до небес, как буран...

— Елки. Тебе бы стихи писать, учиться в каком-то лучшем университете. А ты с лопатой, на руках — мозоли. Любишь чужую бабу, которой платят за ночь.

— Не надо, Аня. Мне и так больно.

— Из-за того, что мне платят за ночь?

— Из-за того, что ты его любишь. Если бы просто так...

— Что? Ты бы простил, если бы просто так таскалась по другим мужикам?

— Ты совсем не понимаешь, что значит любить. То есть в моем случае не понимаешь. — Денис опустился на корточки у кровати, заглянул ей в глаза. — Ты же простишь все своему Артему, если будешь знать, что нужна ему. Не только на ночь. А у меня даже темы такой нет — не прощать тебя. Кто я такой, чтобы кого-то вообще не прощать? А тебя... Я узнал, что такое счастье. Это правда.

— Господи, — выдохнула Анна. — Счастье... Эта нищета, эта баба-непоймикто, то есть я, это все... Ты что, в зеркало не смотришь? Ты не видишь, как на тебя миллионерши заглядываются?

— Не вижу, — равнодушно сказал Денис. — В зеркало смотрю, когда бреюсь, умываюсь. Ты спросила, за что я тебя люблю? Вот видишь: какая ты щедрая по отношению ко мне. Ты видишь во мне то, чего, наверное, нет.

— Да... Твоя мать, наверное, миллион добрых дел совершила, раз ей был послан такой сын. Вот интересно просто. Ты такой: все прощу, как могу не прощать, дальше, наверное, по Библии. А вот если бы меня кто-то сильно обидел, избил, изнасиловал, сделал несчастной. И я бы тебе сказала: «отомсти», — ты бы тоже ответил: кто я такой, чтобы не прощать?

— Нет. Я бы тебе так не ответил.

— А что?

— Если ты скажешь убить — я убью.

Глава 19

Дина смотрела, как загипнотизированная, на кровь на полу у подоконника. На кровь, что пролилась из порезанной ладони Людмилы. Не могла отвести взгляда. Она на самом деле была сейчас не здесь. И не сейчас. Она стояла, как тогда, два года назад, на коленях перед родным и теплым телом Вадима, прижимаясь лицом к кровавым пятнам, которые забрали его жизнь. Ее жизнь. Она была безумна. Ей казалось, что она губами и слезами все исправит, все излечит, прогонит смерть.

Людмила брезгливо бросила осколки себе под ноги и не сдвинулась с места, чтобы пойти смыть кровь. Она смотрела на Дину, та, очнувшись, взглянула в ее глаза. Мороз по коже. Жестокий, немигающий взгляд, окровавленная рука... Кровавые пятна на спине Вадима. Письмо «Помяни рабу божию Викторию»... Зачем, зачем, зачем Дина сюда пришла?! Эта первая жена — страшный человек. Дина ступила в трясину, из которой может не выбраться. А Вадима все равно нет. Он не появится даже для того, чтобы ее спасти. Дома беспомощный Лорд.

— Так в чем все-таки дело? — сухо спросила Людмила. — Я написала в течение года два письма бывшему мужу, отцу моего ребенка. Сообщила, что дочь родилась и что она умерла. Ради этого стоило рыться в его переписке — тридцать три тысячи писем... Тащиться ко мне через всю Москву... Наш общий муж умер два года назад. И за все это время не было никаких вопросов. Вдруг появились?

— Появились, — после паузы проговорила Дина. — Виктория Вадимовна Арсеньева действительно родилась за два дня до нашей с Вадимом свадьбы. И я нашла эту запись в реестре родившихся в тот день москвичей. Но я не нашла записи о том, что она умерла. У редакции есть свой доступ к архивам. Я смотрела не только в общем списке умерших, но и похороненных. Не хоронили такого ребенка ни на одном из московских кладбищ.

— Слушай, — задохнулась Людмила. — Это моя проблема, что в твоих туфтовых бумагах не прописан мой ребенок? Которого нет уже два года. Ты в своем уме?

— В своем. И сейчас могу с работы послать официальный запрос, ответ на который прояснит ситуацию. Я могла это сделать до нашего разговора. Но подумала, что получится не очень честно. Ты ведь можешь мне сказать, где похоронена твоя дочь? От какой болезни она умерла? Смерть фиксирует и полиция, и «Скорая»... И везде есть архивы. Ребенок не может исчезнуть так, чтобы не осталось ничего, ни одной записи. Два года... Всего два года прошло. Находят архивы на людей, умерших и пятьдесят, и сто лет назад...

Дина с ужасом видела, как в замедленной съемке, что Людмила идет к ней. Что она протянула к ней руки, одна окровавленная. Что губы у нее сжаты в прямую линию — знак ненависти и агрессии. Что глаза практически застыли и побелели от бешенства. Она хочет ее убить! Как убила…

— Ты, крыса-ищейка, журналюга, ты хочешь меня в чем-то обвинить? Ты, подстилка, которая уводит чужих мужей, ищешь крайнюю для развлечения? Слышала я, как ты по ящику людей грязью поливаешь. Злоба поедом ест что так, что эдак, но уходят от тебя мужья? Хоть в могилу. И это бы я еще тебе простила мужа, которым ты не попользовалась всласть. Но ты роешь какую-то информацию на моего ребенка! Я представляю, о чем речь. Найти могилку, добиться разрешения на эксгумацию, разбирать косточки, чтобы доказать, что ребенок — не Вадима. Спесь твоя тебя заставляет это делать. Ты — бесплодная, не можешь вынести, что у меня от Вадима был ребенок. Так вот. Я не остановлюсь ни перед чем. Документ у меня есть, но я всякой… не должна его предъявлять. Ты умоешься кровавыми слезами, если не оставишь свою затею. Я все сказала. Пошла вон… звезда экрана.

Дальше Дина просто ничего не помнила. Только чувствовала страшную боль везде, как тогда, когда первый раз хотела включить компьютер Вадима. Она пришла немного в себя примерно за квартал до офиса студии. Ее машина стояла на обочине. Руки вцепились в руль и дрожали. Она посмотрела на часы. Боже, скоро у нее запись. Что делать?..

— Помогите же мне кто-нибудь, — безнадежно прошептала она. Затем сделала глубокий вдох, сжала зубы и поехала на работу.

Людмила так и осталась стоять посреди своей комнаты, когда за Диной захлопнулась дверь. Кровь из порезанной руки все текла и текла. Она смотрела на нее. «Когда же ты кончишься, проклятая, отравленная кровь». Потом застонала протяжно и утробно. А сухие глаза все горели без капли влаги. Нет слез у них. Плачут люди, женщины. Изгои и чудовища сгорают вот так, стоя. Если повезет.

Глава 20

Александр Гродский, известный адвокат и самый несчастный в этот вечер человек, курил трубку, а дым был горьким, как его дни, пил черный-черный кофе, и от его горечи сводило зубы, да, видимо, от этого… Он садился в кресло с ноутбуком, почти бросал его с отвращением на журнальный столик, пересаживался за письменный стол, брал листок бумаги и ручку, отодвигал, включал стационарный компьютер… Это невозможно. Не идет. Он прошел по своей большой и пустой квартире на кухню, не зажигая света нигде. Он не мог ее видеть, эту квартиру, мебель, вещи, которые с такой любовью выбирал. Они выбирали. Все эти коврики, картины, цветы. Как это невероятно бессмысленно — приобретать вещи, которые живут после того, как человек, которого они радовали, кому были зачем-то нужны, — человек исчез. Протянешь руку в темноту, и темнота скажет: «Здравствуй, друг. Мы наконец стали одинаковыми. Мы пустые».

Александр и в кухне не зажигал свет. А зачем? Он и так хорошо ориентировался. Протянул руку к антикварному буфету, который был приспособлен и под бар, достал бутылку виски, плеснул в стакан, вдохнул горький запах, сделал горький глоток. С чем он борется? Так и будет? Долго или всегда? Но это только его вопрос. А процесс, на котором он должен сказать свою последнюю в этом деле речь, состоится с неотвратимостью летящего поезда. Или бомбы. В данном случае второе больше подходит. Потому что это последнее заседание может убить, раздавить совсем юную жизнь. Жизнь девочки, которая стала разменной монетой в грубой, жестокой, абсолютно лишенной здравого смысла игре. А мы так! Как это делают люди, глотнувшие не горький глоток, а пьяную смесь власти и вседозволенности. Перед ним очень четко возник образ тоненькой девушки с чистым и ясным лицом, с храбрыми глазами — а куда ей деваться от храбрости, когда никакая осторожность уже не поможет?

Значит, надо работать. Александр вернулся в гостиную, где горела только настольная лампа на журнальном столике. Открыл балкон, вдохнул, ну, горький, конечно, воздух. Но это была не окончательная, не поминальная горечь. Снежные сугробы уже пахли весной. Странная весна. Он такой и не припомнит.

Александр взял автоматически пульт телевизора, какое-то время нажимал по очереди всю эту кучу кнопок: каналы размножаются, как насекомые. Слушал по две секунды, он умел считать свое время. В текст практически не вникал. Все говорят одно и то же, что невероятно. Хотя… Наверняка есть какое-то количество людей, которое всегда находится на одной волне. Вот зачем их собирать в одном месте — это, конечно, загадка. Какой бизнес, если люди стерты одинаковым текстом и... одинаковыми ошибками?

Александр — доктор юридических наук, стажировался в Штатах и стране-царице полного и не оставляющего сомнений права — Великобритании. Он — адвокат, поэтому знает цену слову. Но он не филолог, не редактор. Если все эти неправильные толкования простейших терминов, эти дикие ударения, которым учат с младших классов, так режут его слух, то что же происходит с хорошими учителями языка и литературы?.. Александру повезло в школе. У него была такая учительница русского языка и литературы, каких, наверное, и не бывает. Ее звали, как героиню Лермонтова, обожаемую Александром героиню — Бела. Наверное, это была его такая первая любовь — книжная. Эта красавица с темными, томными очами, женственная и беззащитная настолько, что ее постоянно кто-то похищал. Александру так хотелось ее спасти. И от скучающего Печорина, который сделал Белу несчастной, и от того бандита, который воткнул в нее кинжал.

Вряд ли сильный и здоровый мальчик, достаточно озорной и коммуникабельный, мог бы так влюбиться в женщину из книжки, если бы не учительница. Бела Яковлевна. У нее были темно-карие, почти черные глаза, губы сердечком, как у книжных красавиц, мягкий голос и немыслимая, потрясающая, вдохновенная любовь к литературе. Не только он, отличник, но и последние двоечники в меру своих возможностей, что называется, «шарили» в литературе. И все ходили к Беле Яковлевне домой, и уходили оттуда с книжками, которые читали. А еще она пекла им пироги.

Александр вдруг вспомнил, как давно он не ел. Но хотелось именно пирогов. Что нереально. То есть лучше забыть. Он включил верхний свет. В нише бюро стояли портреты матери, отца, жены, которая умерла неделю назад… И Белы Яковлевны, той учительницы. Белы Лермонтова. Он взял фотографию у ее дочери, когда приезжал в маленький городок, откуда родом, на похороны любимой учительницы. Там были взрослые, состоявшиеся люди из разных стран. Городок скорбно затих. Даже машины, кажется, не ездили. Там узкие дороги. И по ним шла широкая толпа. Все были безутешны, женщины в черных платках, мужчины без головных уборов на сильном морозе. И запах еловых веток, тоскующих цветов…

Бела Яковлевна смотрела с портрета прямо в глаза Александру. Она бы могла сказать ему что-то очень важное. Не банальное: «Жизнь продолжается», а слова тонкие и нежные, оживляющие… Как эти… «Две дороги — та и эта… Та прекрасна, но напрасна. Эта, видимо, всерьез»…[1] Жизнь всерьез — это больно. Но нужна именно она.

Александр хотел уже бросить пульт за ненадобностью. Он уже знал, что надо написать. Но вдруг… Что это? Кто это? Он никогда не встречал это лицо на экране, да и канал незнакомый. Что не удивительно, конечно. Он не тратит время на телевизор. Но эта женщина… С глазами, как у Белы. И она говорила… Да она говорила о процессе его подзащитной. Рот

[1] Песня Булата Окуджавы «Эта женщина в окне».

у нее тоже, как у Белы, — губы сердечком. А произносит слова настолько мужские, сильные, беспощадные… Перед Александром всплыли лица заказчиков дела. Девушка, ты что творишь! Ты же божья коровка под их сапогами. Божья коровка, которая не успеет взлететь.

Глава 21

После записи Дина на минуту зашла в общую комнату редакции, взяла с вешалки куртку и, не заходя в гримерку, где обычно смывала грим, быстро пошла по коридору к выходу.

— Дина, — окликнул Артем. — Ты так бежишь… И приехала сегодня на машине. Все в порядке?

— Не знаю. Да. Просто тороплюсь. У меня же больная собака…

— Дина, я хочу, чтобы ты знала. Цикл твоих передач по этому делу. О них говорят. Мне вчера один приятель даже сказал, что я тебя подставил ради собственного рейтинга. Я тебя не подставил. Я отслеживаю ситуацию. Кому надо, тот об этом знает. И как я умею отвечать — тоже.

— Я понимаю, я чувствую. Я тебе очень благодарна. Хотя я говорила бы все это и без страховки.

— Да, не сомневаюсь. Дина, я слежу за ситуацией в ее серьезном выражении, но тебе могут звонить просто хулиганы, тебя могут пугать какие-то отморозки… Ты должна, понимаешь, ты просто обязана сразу набирать меня в любое время суток. Чуть что. Даже если показалось. Я же вижу, что-то произошло. Ты испугана. У тебя зрачки на всю радужку. Так было, только когда на меня напали у подъезда с ножами... У тебя после этого случая несколько дней были такие зрачки.

Дина смотрела на его лицо — волевое и властное. У Артема столько силы. Да, он любую ее беду разведет руками. И понимает ее, читает, как никто. Даже Вадим так ее не чувствовал. Дина пыталась ему сказать это, просто что-то теплое. Но спазм... Глотнуть не могла. Хорошо, что уже записалась. И глаза... Когда он сказал насчет зрачков, ее накрашенные для эфира глаза закипели и, кажется, потекли. И Артем видит ее черные слезы. Она этого не хочет. Или слишком хочет. Чтобы он ее пожалел. Это так приятно, когда тебя жалеет по-настоящему сильный мужчина. Он бы вытер ее слезы и нос своим носовым платком, как сделал в первую очередь тогда, разбросав нападавших с ножами и попугав их пистолетом, который всегда носил с собой. Она бы вздохнула. Она бы отдохнула... Он умеет решать проблемы просто щелчком пальцев. А она вообще не умеет их решать. Но... Нельзя сказать только «А». Нельзя пройтись по морю на кончиках пальцев. Минута ее слабости — это будет шаг в плен. Плен — это не так уж и плохо, когда речь о мужчине и женщине. Любовь — это и есть плен. Но нет у Дины любви к Артему, эксперимент номер два ничего нового не даст. Он будет любить ее по-своему, как желанную рабыню, как Галатею, может, даже как свое дитя. Он решит за нее все. Он поведет ее в даль светлую... А она будет вновь мечтать о свободе. И она его предаст.

Они стояли очень близко друг к другу. Со стороны это могло показаться очень интимной, важной встречей. Потому люди, которые выходили в коридор, возвращались сразу в кабинеты, чтобы им не мешать. И только Дина и Артем знали, что между ними прозрачная стена, сквозь которую не пробьется ни зов, ни плач, ни крик.

— Я все поняла, — сказала Дина. — Все сделаю, как ты сказал, дорогой. Просто пока нормально, обычно. Бывает... Нервы... Плохо спала сегодня. До завтра. Все будет хорошо, как ты говоришь.

Артем кивнул и пошел к своему кабинету обычным решительным, энергичным шагом. И только переступив порог, закрыв дверь, он шел к столу тяжело, опустив мощные плечи. Сидя за столом, сразу полез в ящик, где лежала спасительная трубка для особых случаев. Он медленно ее взял, массивную, резную, тяжелую, сделанную на заказ, долго разглядывал. А потом швырнул изо всех сил в закрытое окно. Он никогда не разрешал опускать жалюзи. Окно взорвалось, как от пули, вокруг дыры разбежались тонкие трещины. Влетела перепуганная секретарша.

— Нечаянно разбил, — кивнул на окно Артем. — Вызови мастера.

Никто из подчиненных никогда не задаст ему вопрос: как он умудрился разбить окно, сидя в кресле на расстоянии минимум десяти метров от него. Секретарша даже не задумалась об этом. Послушно побежала выполнять приказ. А у Артема вздрагивали пальцы, сжатые в кулаки. Они пульсировали, как на свободе. И мысль была одна, все та же. Эта мысль, которую невозможно ни прогнать, ни истребить.

«Проклятый характер. Чертов проклятый характер. Уже непонятно, в чем душа держится. Мужа расстреляли практически на глазах. Сама... Да ветром сдунет, никто не найдет. И такой проклятый характер».

Мысль была яростная, горячая, бьющаяся в висках, а вздох глубокий и со всхлипом, как в детстве после долгого плача.

Артем взял телефон, нажал вызов:

— Это я. Буду дома в двадцать два. Приезжай, Аня.

Глава 22

Дина ехала осторожно, напряженно. Отвыкла, была не в форме. Не просто устала — обескровлена бессонной ночью и встречей с Людмилой. Времени на дорогу домой ушло гораздо больше, чем в метро. Не умеет она объезжать пробки. Что она умеет?.. Ехать по пустой и свободной дороге, жить без людей, общаться с понимающей все без слов собакой, говорить слова невидимым зрителям. А какой-то шизофреник по весне сорвется и прикончит ее завтра у выхода из редакции... И ее слова сотрут и смоют через неделю или год. А ее пес заблудится в потустороннем тумане и не возьмет ее след. Даже если собачий бог вернет ему возможность бегать по облакам. А Дина не найдет Вадима, своих родителей. Она умеет ходить только по прямой. «Злая, потому что бездетная», — сказала Людмила о ней. Нет, она сказала: «бесплодная». Это не так. Артем берег ее от беременности ради дела, он склонен переоценивать ее незаменимость. Или... ему не нужна жена-наседка. Наверное, второе. С Вадимом они ничего такого даже не успели обсудить, они не успели друг друга узнать, просто справлялись с неожиданностью и необычностью своей встречи. Но ей кажется, Вадим тоже не хотел от нее ребенка. В этот их единственный год. Ребенок ему бы помешал. Нет, он малыша, конечно же, полюбил бы... со временем. Он — добрый человек, порядочный. Просто так ясен был его приоритет: полет любви и страсти с женщиной-мечтой. Какая трудная и вообще-то глупая роль ей досталась в их союзе. Не выходить из образа женщины-мечты.

А Людмила тем временем родила. Девочку. Папа Дины говорил ей в детстве: «Я всю жизнь мечтал быть папой для девочки с бантами». Он был невероятным папой, такого не было ни у кого. Папой-праздником. Самолет, в котором он с мамой летел на его последний скрипичный концерт, сбили над чужой страной. Стоп! На этой теме знак «запрет». Просто Вадим другой, не такой, как ее папа. Любил — не любил он Людмилу, но ребенок родился и жил. Целый год. Дина не заметила в муже ничего необычного ни тогда, когда Виктория родилась и он об этом узнал, ни тогда, когда он получил письмо, что девочка умерла... Три дня он жил с этой новостью, был таким, как всегда, с Диной — страстным и любящим, — готовился к ее дню рождения. Хорошо умел от нее все скрывать?

Дина, не заезжая в свой двор, резко съехала на обочину и зло посмотрела в глаза своему отражению в зеркальце.

— Совсем с ума сошла! Ты кого упрекаешь? Мертвого? Того, который душу тебе отдавал?! Любил, еще не встретив. Жизнь под тебя поменял!

Да миллионы мужчин живут своей, другой жизнью, оставив детей первым женам. Наверняка Вадим помогал, может, навещал… Она ничего не знает. Это она, Дина, ничего не знает. И есть, стало быть, в ней изъян, из-за которого ей не все можно доверить. Эта прямолинейность. Как кричал однажды во время ссоры Артем: «Этот твой проклятый характер». Стоп и на этом месте.

Дина мысленно проверила содержимое своего холодильника. Для Лорда все есть пока. В магазин она не пойдет, время потеряно, да и нельзя ей, накрашенной, туда ходить. Ее могут узнать.

Дома сначала дела обрушились. Главное дело: приласкать, приголубить Лорда. Он так страдает, когда ее нет. Она это видит по его глазам, глубоким, как два темных колодца с отблеском небесных звезд.

Потом все стало на свои места. Пес накормлен, получил свои лекарства и витамины, квартира относительно убрана, Дина выпила большую чашку кофе со сливками, после записи у нее аппетит просыпается лишь к ночи. Вредно, говорят, а ей почему-то не вредно. Вещи и трехлетней, и пятилетней давности как сидели, так и сидят на ней. Хорошо сидят. И спится ночами хорошо. Если вообще спится.

Сейчас ей нужно решить, по какой дороге двигаться дальше. Людмила с белыми от бешенства глазами, ее окровавленная рука, ее ребенок, который точно нигде не похоронен, убийство Вадима через три дня после письма первой жены… Это оставить нельзя. Но еще более нельзя ломиться в эту трагедию, как бык на красную тряпку. Там что-то не так. Там, возможно, все не так. И она могла. Да, Людмила очень похожа на человека, который выносит приговор предателю.

Разумеется, такая женщина может вынести только смертный приговор. Сама, не сама — это вообще не так важно. Но есть такая же вероятность, что Людмила ни при чем. Презумпция невиновности.

Что сейчас делать с этой ситуацией, Дина не знает. Ее нерв говорит ей: надо оставить пока эту женщину в покое. Не доводить до очередного греха. Если у нее есть грехи. Да и злобу, и бдительность лучше усыпить до поры. Прошло два года. Еще немного времени ничего не изменит. Нужно возвращаться к документам и письмам Вадима. Искать что-то еще...

Дина опять долго терла себя жесткой мочалкой под душем. Туго стянула волосы на затылке. Надела темно-лиловый халат. Вадим купил, когда они выбрали диван такого же цвета. Сказал, она помнит вообще каждое его слово: «Это тебе, чтобы ты на этом диване лежала и сливалась. А я буду целовать твое лицо-цветок». Лицо — цветок... Везет ей на щедрых мужчин. А Людмила сказала, что от нее все уходят, хоть в могилу. Как же вздрогнуло тогда у Дины сердце, заныло оно и сейчас. Ядовитая баба. Жалит, как гадюка. Боль от укуса проходит, яд в крови остается.

Дина вошла в спальню, встала перед зеркальным шкафом: строго, с обидой посмотрела на себя. Склонность к несчастью — это все же дефект природы. Разве что как у Ахмадулиной: «Ощутить сиротство как блаженство». Но то наука для мудрых. Дина раздвинула дверцы шкафа, почти не глядя достала пакет со своими черными похоронными платками — для родителей, для Вадима — и завязала один, кружевной, по-бабьи: концами назад. Потом пошла к компьютеру Вадима, глядя на его портрет.

Она читала до головокружения, вставала, только чтобы зажечь свет, когда стемнело, и пару раз выходила на лоджию вдохнуть прохладный воздух.

Вот. Что это? Письмо за неделю до ее дня рождения от человека, имя которого видит впервые. Валерий Николаев. Он пишет: «Вадик, мальчик мой, ты поменял мой устав. Взял людей, которые мне не нужны. Ты не первый раз трепыхаешься как недострелянный птенчик. Возомнил себя шефом? Не доходит? Тебя держат как медиарожу. Это фсе! И твои пять процентов. А той бумажкой, на которой ты написан «руководитель проекта», так то чтобы кому-то подтерецца. Завтра все меняй! Последнее китайское предупреждение. Меня знают все».

Боже мой! У Вадима не могло быть таких ужасных, безграмотных знакомых. Дина видела его друзей. Это письмо бандита. Настоящего криминального типа. Она такие «китайские предупреждения» читала в уголовных делах, когда готовила материалы. Что это, что это, что это?! Гуглить всех Валериев Николаевых? Так их миллионы, именно бандитов там и нет.

Траурный платок сжал ее голову, она сорвала его. Волосы… Ей показалось, что у нее от ужаса зашевелились волосы. Видимо, от таких потрясений и пошло это выражение. Но как же?.. Как она могла что-то не знать? Они вместе работали. Да нет… Не совсем вместе они работали. В день записи она находилась в редакции не больше трех часов. У Вадима было множество разъездных дел, разные мероприятия. Он возвращался поздно… Артем платит не плохо и не хорошо. Такой у него принцип. Не из жадности, а чтобы человек не расслаблялся. Очень редко, но у Дины мелькала мысль, что Вадим позволяет себе тратить больше, чем получает. Например, ее обручальное кольцо с бриллиантами известной фирмы — оно стоит не меньше полугодовой зарплаты Вадима. Дину это не настораживало. Он пишущий, востребованный человек. И тут вот такая… Ну, просто «малява», говоря языком зоны. Больше она читать не может. Какая жалость, что в доме ни капли спиртного. Ни одной таблетки снотворного. Ей лежать и сходить с ума до утра. А потом? Она знает только одно: к Артему за помощью и в этом случае обращаться нельзя. Не нужно ему знать тайны мертвого соперника. Он наверняка поможет разобраться, он не будет злорадствовать ни в каком случае, отнюдь. Он просто будет надеяться. А ему не на что надеяться. И это единственное, чего не захочет понять, с чем не захочет смириться самый умный мужчина из всех, кого она знает.

Часть вторая
ОСТАНОВИСЬ, МГНОВЕНИЕ

…Две дороги — та и эта.
Та прекрасна, но напрасна.
Эта, видимо, всерьез.

Булат Окуджава

Глава 1

Ночь была такая… На черном небе тонкий, яркий полукруг месяца, как осколок солнца, застрявший во мраке. Звезды подмигивают и перемещаются, как лампочки на елочной гирлянде. А может, это азбука Морзе родных душ. Не могли ведь они ее совсем бросить. Дом Дины, ее крепость — эта двушка с привычными стенами, потолком, дыханием спящего Лорда, — всегда устраивал ее как убежище. Устраивал — не то слово. Она — очень домашний человек, она тоскует везде не только по Лорду. Она рвется к этим стенам, потолкам, скрипу несмазанной входной двери. К тапочкам в прихожей, халатам, которых у нее больше, чем у Обломова, к своей подушке… Животное чувство, наверное, древнее, как самые первые звери, которые бежали отовсюду к своей норе.

Но эта ночь. Одиночество, привычное, уже обжитое, уютное и приветливое одиночество, вдруг опять обернулось палачом. Оно превратило в камеру пыток ее убежище. Стены, потолок, тапки и подушка — все было с ним заодно.

Дина педантична и максималистка до крайности, она могла купить какую-то книгу, увлечься сюжетом и бросить ее в мусорное ведро без сомнений и сожалений, наткнувшись на «одеть» вместо «надеть», на слишком манерное определение, на искусственный диалог. Она могла заставить недовольного оператора переписать нормальный дубль, если ей казалось, что в нем есть повтор мысли другими словами. Она никогда не разрывала внешних отношений с приятным вроде человеком, который произносил — неожиданно — лживую или подлую фразу, то есть никак не реагировала, продолжала здороваться и спрашивать: «Все в порядке?» Но этого человека для нее больше не существовало. Пустое место в плане эмоциональной реакции.

А в ее мире царствовала гармония, что не значит — счастье. Это совсем другое. Просто в идеальном детстве был идеальный папа, гибель родителей стала страшной трагедией, но она не противоречила формату гармонии. Да, есть гармония несчастья, боли, страданий... В такую трагедию был вписан и Вадим, совершенно уникальный человек, который умудрился влюбиться в нее заочно, как дети влюбляются в нарисованных ангелов. Она сейчас на распутье... Она может узнать, что Вадим был в чем-то очень виновен, что он не успел ей ничего рассказать о себе, о своих делах и о родных людях не по той причине, какую придумала задним числом она, максималистка. Ей было удобно думать, будто он просто не успел прервать их любовный шепот. А вдруг ему было что скрывать? И он не собирался никого посвящать... Во что? Господи боже мой! Это может оказаться настолько НЕ гармония, что ей с этим будет еще труднее жить. Можно узнавать, можно этого не делать! И в ее интересах выбрать второе. Вадима нет. Какая разница?

— Разница есть, — упрямо сказала она себе.

Вошла тихонько в комнату Лорда. Он крепко спит. Он ночью не просыпается. А ей нужно выскочить хоть на пять минут, пока ее не раздавили стены воспоминаний, потолок неизбежности. Она сбросила в спальне ночную рубашку, надела только белье — даже без чулок или колготок. Сверху длинный темно-синий свитер-платье до колен. В прихожей влезла босыми ногами в высокие черные сапоги, надела шерстяное пальто песочного цвета, а голову опять повязала черным платком. Тихонько закрыла входную дверь. Вышла из подъезда. Дневные лужи схватились льдом, заблестели осколками зеркала. Все верно. Она пойдет по ним.

Дина почти бежала, от себя она бежала, узкий осколок месяца, смеясь, ее догонял. Она оказалась вдруг довольно далеко от дома. Обошла Киевский вокзал, вышла переулками к Мосфильмовской, повернула в самый глухой тупик. Увидела вдруг посреди узкой улочки большую черную фигуру. Испуганно оглянулась. Больше никого. «Лорд», — мелькнула первая мысль. За ней вторая: «Артем сказал: звони сразу. А что сейчас это даст? Я даже не знаю, где я...»

Глава 2

Александр увидел издалека тоненькую женскую фигурку в светлом пальто, черном платке и остановился. Он представлял себе, как сейчас выглядит в тусклом свете фонаря у забора его дома. Вышел в черном ватнике, в котором вечером чистил дорожку в саду. И эти страшные, огромные сапоги. И вся его несуразно большая и неуклюжая сейчас фигура. Женщина куда-то очень торопилась. И вдруг остановилась. Конечно, испугалась. А если пойти навстречу — она испугается еще больше. Вернуться не дает это чудище, из-за воплей которого он и выскочил ночью на улицу. Он посмотрел на черную, бородатую и очень смешную морду лохматого пса, который был явным производным какого-то терьера.

— Как ты здесь появился, Клякса? У нас нет собак. Ты сбежал от хозяина, тебя выбросили или ты вообще ничей?

— Я твой! — преданно блеснул глазами пес, продолжая натягивать ремень, который Александр просунул под его ошейник. Ошейник так себе. Такие могут быть и в приютах. Жетона с телефоном нет.

Женщина неуверенно сделала шаг вперед. И вдруг безобидный пес, которого можно было назвать только Кляксой, залаял страшным басом. Охраняет, дуралей! А женщина повела себя неожиданно: она побежала к ним, на этот лай.

— Ой, — выдохнула она. — А я уже так перепугалась. Думала, разбойник только меня и ждал тут. Никогда не была, кажется, в этом месте. А вы с собакой.

— Это так здорово? — удивился Александр.

— Конечно. Собачник собачника не обидит. А уж собака… Единственный хороший знак в мою такую плохую ночь.

Александр смотрел на лицо женщины в тусклом свете и думал, что в своем недельном заточении и бессоннице он дошел до галлюцинаций. Ему кажется, что это та женщина, которую он видел по телевизору. Бела… Но сказал коротко и сухо:

— Пес не мой. И я не собачник. Но этот тип так выл под моим забором, то ли на весну, то ли на свою беду, что пришлось выйти. Подумал, вдруг его мучают, ранили… Нет. Целехонек. Но беда, конечно, не исключается. Его могли привезти и выбросить. Весна тоже в силе. Понимаете, он мне не нужен. Просто другой образ жизни. А вам?

— Мне… Наверное, нужен. Просто взять не могу. У меня дома большой и доминантный кобель. Даже мне от него достается. От этого кудряшика он может не оставить даже хвоста на память.

— Вы любитель таких серьезных собак?

— Нет, что вы. Я просто любитель… У моего Лорда тоже беда. Позвоночник ему повредили. Он передвигается только по квартире. Знаете, и у меня был не такой образ жизни. Оказалось, что такой. Я, конечно, не лезу с советами. Но плохо собаке одной на улице.

— И мне не очень хорошо в два часа ночи тут торчать. И вам… Вы куда-то очень торопились?

— Да. Я торопилась все забыть. Устать. Вернуться к Лорду.

— Лорд там? — Александр показал направление, по которому шла Дина.

— Нет. Он позади, у меня дома. Я еще не успела ни добежать куда-то, ни забыть. Лорд не просыпается ночью.

— В таком случае у нас есть время. Раз вы любитель. Мой ночной гость сильно пахнет чем-то нехорошим, у него, возможно, блохи. Не хотите помочь? Вот мой дом.

— Хочу, — задумчиво произнесла Дина. — Да, пожалуй, это самое разумное для меня сейчас применение. Войти в чужой дом, занять руки и глаза. Победить блох. Это занятия, которые мне сейчас по плечу. Все остальное — нет.

— Как вы говорите. Вы не...

— Да-да. Я веду передачу. Меня редко узнают ненакрашенной. Так что не смотрите, это разрыв моего шаблона.

— Конечно, как скажете.

Клякса шел впереди них по дорожке к небольшому кирпичному дому.

— Здесь жили мои предки задолго до революции. Потом дедушке удалось вернуться из Франции, жили они с бабушкой сначала в привратницкой. Со временем я помог расселиться людям, которые здесь еще оставались как в коммуналке, приобрел дом заново в собственность.

— Хорошо здесь жить, наверное.

— Бывает и хорошо.

В прихожей Дина сняла пальто и задумалась.

— Понимаете, я выскочила на минуты. В общем, на мне длинный свитер, который сойдет за платье, но нет чулок.

— В чем проблема? — тревожно спросил Александр.

— Неудобно.

— Ах, в этом. — Он улыбнулся. — Тогда проблемы нет. В этом шкафчике огромное количество новых комнатных тапок разного фасона. Коллекция моей жены… Она умерла. Чуть больше недели назад.

Дина никогда не произносила стереотипных слов в угоду моменту. Она здесь ненадолго. Человека не знает. Жены его не знала тем более.

— Меня зовут Александр, — представился хозяин дома.

— Очень приятно. Меня — Дина.

— Я запомнил это. Один раз случайно посмотрел вашу передачу. Кстати, вы говорили о моем деле. Я — адвокат на этом процессе.

— Вы — Александр Гродский?! Боже. Очень рада. Я видела, конечно, фотографию, но сейчас, в темноте, с этим Кляксой и в ватнике…

— Понятно, — кивнул Александр. — Вот и получается, что мы давно знакомы. А вы об условностях — нет чулок…

Он открыл Дине шкафчик, где действительно рядами, друг на друге, лежали новые комнатные тапки. Его жена была тоже домашним человеком. Знаменитый адвокат снял свой ужасный ватник, отцепил ремень от ошейника Кляксы. Взглянул на Дину, приглашая к подвигу: «Все на борьбу с блохами!»

А ей пришлось от неожиданности прислониться к стене, чуть не покачнулась. Глаза у него… У него глаза темные и великолепные, как у Лорда! Она, конечно, никогда ему не скажет об этом, но это два темных колодца с отблеском небесных звезд.

Глава 3

Посреди дня у лавки японских деликатесов в тихом центре случилось ЧП. Немногочисленные прохожие застыли, приоткрыв рты. Прелестное качество российского прохожего, независимо от возраста, пола, образования — он вдохновенный зевака. Люди, бредущие, как правило, довольно угрюмо, люди, которые могут обойти лежащего на дороге человека, потому что своих проблем хватает, — они, как заколдованные, уставятся на любую заварушку. Как будто у всех в детстве плохие ребята отбирали мячики.

А дело было в следующем. Приличный серебристый «Лендкрузер» влетел на большой скорости в переулок и стал себя «выравнивать» зигзагами. В результате он чуть не задавил сотрудника ДПС, который просто задумчиво смотрел на лавку, видимо решая, не пора ли ему перекусить. Мужчина успел отпрыгнуть и быстро позвонил на ближайший пост. Машина, фыркая, буксовала в сугробе на обочине: только что проехал снегоочистительный комбайн. Тут подоспел наряд, выскочили четыре человека. Окружили «ленд», стали требовать от водителя, чтобы вышел. Публика забыла про свои проблемы, дела и ждала развязки. Водитель не выходил. В окно ему стали стучать полицейскими дубинками, два человека полезли в кобуру. В это время машина резко дала задний ход и сбила с ног двух приехавших сотрудников. Первый, тот, который вызвал наряд, завопил:

— Ребята, да стреляйте на поражение. Не видите, это же бандит! И машина, конечно, угнанная!

Сбитых полицейских уцелевшие отнесли в безопасное место, попросили первого вызвать «Скорую» и пошли уже с пистолетами на весу…

Тут-то дверь машины и открылась. Медленно вышла женщина в длинной норковой шубе.

— Елки! — завопил тот, который собирался войти в лавку. — Так это ж хозяйка! Е-мое! Что делается-то!

Людмила посмотрела спокойно в два направленных на нее дула как в глаза знакомому, но неинтересному человеку, потом по очереди в лица всех полицейских и поставила удобнее, устойчивее ноги. Плясали эти лица и дула вокруг ее головы. Пьяна она была смертельно. Публика не успела перевести дыхание и оправиться от потрясения, как началось самое интересное.

Двое полицейских, вернув пистолеты в кобуру, спокойно подошли к респектабельной хозяйке всем известного заведения. Аккуратно взяли ее под локти. Тем более что она явно нуждалась в поддержке: запах алкоголя не оставлял сомнений. И тут… состоялось избиение младенцев. Дама так профессионально работала руками и ногами, что в течение минут мощные, одетые в свои непробиваемые костюмы мужики лежали на земле, а она все норовила поставить печать каблука на их лица. Бледные, перепуганные лица. Вот что значит эффект неожиданности. Все расслабились, как у тещи в гостях. Их счастье, что дама была не на шпильках: только поэтому они остались с глазами. Какой-то радостный парень из толпы зрителей практически влез между ними, снимая все на видео. Время такое: не снял, считай, пропустил удовольствие.

У поворота показались машины «Скорой» и «Газель» с ОМОНом.

Людмила успокоилась, отошла в сторонку и стала тщательно вытирать свои белые сапоги белым с вышитой розочкой носовым платком, в который она набирала снег.

Когда к ней подошла едва ли не армия, она просияла улыбкой и отдала честь.

— Задание выполнено, граждане начальники. Враг всмятку.

Вечером Аня, в волнении, смятении, растерянности, металась между шкафом и кроватью, где разложила свои тряпки. Прикладывала к себе то одну, то другую... Бросалась к туалетному столу перекрашивать глаза и губы. Потом стояла, выпав из суеты, неподвижно, с усталыми и нерадостными глазами. Она собиралась к Артему. Ему глубоко плевать, что она наденет. Как она накрасится. Он просто не заметит. Почему он ее сегодня вызвал сам? Обычно она звонит. Почему-то его звонок не казался ей знаком надежды. Что-то совсем нехорошее было в этом звонке.

И тут ей позвонила Людмила. Спокойным голосом спросила:

— Ты дома?

— Да. Собираюсь.

— К нему?

— Да.

— Слушай, я тебе на всякий случай звоню. Не получится — забудь. Но вдруг успеешь заскочить в какой-то супермаркет... Купи мне трусы и полотенце. И мыло. Да, и зубную пасту. На всякий случай всего по несколько штук.

— Люда, конечно, не вопрос, у меня еще минимум два часа… Но я не понимаю..

— В СИЗО я. Начудила немного по пьяни.

— Ой.

— Ладно, не реагируй. Короче, похоже, придется тут заночевать. Есть жертвы. Не пугайся, не мертвые. Но при исполнении. Запиши адрес. Наверное, тебя не пустят. Но сержант выйдет, все возьмет. Вот он тут со мной, как мой сурок. Они считают, что я опасная.

— Но… Люда, надо кому-то звонить. Они ночью…

— Не! Насиловать меня не будут. Я просила — отказались. Пугаются. Сидят такие здоровенные мужики… Ничего попались вообще-то. Бывают хуже. Да, если пожрать привезешь, тоже хорошо. Пирожки или пиццу.

— Мне дурно, Люда.

— Хорошо тебе живется, если от такой ерунды дурно. Давай. Спасибо, подруга. У меня сейчас телефон отберут, наверное.

— Ты звони, если еще что-то понадобится.

— Нет, не понадобится. Мне объяснили, что в этот дикарский мир пришла цивилизация. Если у меня есть деньги на карте, могу заказывать себе хоть продукты из своей лавки, хоть «Плейбой», хоть трусы от Диора.

…Ночью в камере на сорок человек от чужого храпа, стона, кашля Людмила не слышала своего дыхания. Ей дали матрас, который поместился только между ножками стола. И легла она между этими ножками, как между колоннами дворца: все же не впритык к чужому телу, не вповалку с другими. И не было ей плохо. Не было мрака и одиночества. Она даже коротко уснула, проснулась... Какие дела! Она проснулась от того, что слезы заливали лицо, грудь, тощую подушку, они немного тушили ее вечный пожар. Жизнь ее, наверное, была бы совсем другой, если бы она умела плакать раньше. Боже, бывает же такое счастье: обугленная душа ожила настолько, что сразу захотела умереть, ведь такого облегчения ей больше не узнать...

«Вита, — вдруг выдохнула душа, утолившая жажду, — Виточка. Я все сделаю сейчас для тебя. Я сделаю все, чтобы меня тут на куски порвали, в канаву зарыли. Больше, девочка, я ничего не могу».

Глава 4

Так получилось, что они друг с другом практически не общались в доме Александра. Хотя Дина там пробыла почти до утра. Небо уже стало светлеть. Так отходит от приступа депрессии очень мрачный человек. Озорной осколок месяца бледнел и собирался раствориться. Дина взглянула на небо с террасы и заторопилась.

Но успели они, кажется, многое. Все происходило бурно. Клякса в ванне брыкался, фыркал и, что удивительно, смеялся!

— Странно, — сказал Александр. — Какое у него сейчас ли.., в смысле, какая морда. Это похоже на улыбку.

— Это не похоже на улыбку. Это она и есть. — Дина перевела дыхание и вытерла лицо в каплях воды с пеной шампуня тыльной стороной ладони. — А блох-то и нет. Они бы, мертвые, плавали на поверхности. Мы его мылили, даже не помню, сколько раз. Но он нас, как говорят подростки, «сделал». Еле на ногах стою. Очень активный песик.

— Значит, цель достигнута? — невыразительно произнес Александр.

— Ну как. Их же не было, — рассмеялась Дина. — Цель моя была победа, а врага не оказалось.

— Я о другом. Устать, забыть...

— А. Да, это получилось.

Потом они пса вытирали, а он норовил убежать, продолжая смеяться.

— Начинаю понимать, за что его выбросили, — заметил Александр. — Не каждому нужен в доме клоун двадцать четыре часа в сутки.

— Хороший такой клоун, — нежно произнесла Дина. Александр быстро, но внимательно и почти сурово посмотрел на нее своими очами. У нее ведь была какая-то беда. Она в траурном платке. А с собакой вела себя просто безмятежно. Женщины...

Дальше следовало приготовление еды для Кляксы. Дина колдовала над содержимым холодильника сосредоточенно, рассчитывая дозы и калории. Это заняло у нее минут сорок, поскольку она еще и кашу в качестве гарнира среди ночи взялась варить. Да еще в большой кастрюле, чтобы оставить на другие кормления. Клякса питался из большого красивого фарфорового блюда. Не нашлось в этом доме собачьих сервизов. «Нина, — обратился мысленно

Александр к жене, — надеюсь, ты это не видишь. Это было твое любимое блюдо. Дина решила, что оно подходит по размеру. А мне, ты понимаешь, оно вообще не нужно».

Александр хотел сказать Дине, что он просто подождет, пока собака высохнет, а потом выпустит ее на свободу. Он — не любитель животных и не любитель в принципе, как она. Он — профессионал. У него дело. Времени на такую возню, на какую они убили ночь, у него нет и быть не может. Как и желания. Но не сказал. Эта женщина, эта чудо-женщина, которая совершенно не понимает, что она чудо, — она с таким восторгом тратит себя на полную ерунду, она и страдает, возможно, из-за ерунды. И как ей можно сказать, что он выбросит утром объект ее заботы. Кажется, даже объект любви, что очень странно. Она вообще странная.

Когда лохматый гангстер угомонился и упал на большую шелковую подушку — ничего другого Александр не придумал в качестве собачьей подстилки, которую просила найти Дина, — они сели в кухне, чтобы выпить чаю. Почти не разговаривали. Оба чувствовали себя скованно из-за того, что были не вдвоем и не втроем, считая Кляксу. С ними присутствовала хозяйка дома, портреты которой висели и стояли в каждой комнате, маленький овальный снимок был и на стене кухни. Худощавая женщина с прямой челкой, как у Ахматовой, которая практически не менялась внешне на снимках разных времен. Такое лицо: строго и правильно вылепленное природой, открытый взгляд, скромная полуулыбка. И один пустячок, который называется «голубая кровь». Порода…

Дина с Александром вышли на террасу через гостиную, чтобы посмотреть, какая погода. На обратном пути она увидела на столике двойной портрет в серебряной рамке: Александр с женой. Снимок делали не так давно, потому что мужчина мало изменился. Но… Такая густая, темно-русая волна у него над высоким лбом на этой фотографии… Дина невольно взглянула на Александра, он просто кивнул и провел рукой по совершенно седому ежику волос.

— Поседел и сам не сразу заметил. За месяц. Последний. Не после смерти жены. Во время ее мучений. Рак.

Он повез Дину домой, ехали они долго. Дина так и не поняла: он сознательно выбрал длинный путь, или она слишком быстро бежала ночью, что оказалась так далеко… В машине тоже молчали. Подъехали к ее дому. Он очень хорошо ориентировался в Москве. Она просто сказала адрес. Надо было попрощаться. Оба не знали, что сказать. «До свидания», — так они не собирались назначать друг другу свидания. «Пока» — это расставание на время, пока не встретятся вновь. Просто поблагодарить. А за что? Они всего лишь выручили друг друга.

— Знаете, — вдруг произнес Александр. — Когда я вас случайно увидел по телевизору, то очень удивился. Ваше лицо, точнее, такое лицо, — оно со мной с детства. Так получилось: я представил себе Белу Лермонтова именно такой, да и иллюстрации к «Герою нашего времени» были похожи. Моя учительница литературы, которую звали Бела Яковлевна, казалась мне Белой Лермонтова. Детская, подростковая блажь. Я о ней и забыл. Увидел вас — и вспомнил.

— Серьезно? Бела была и моей детской горестью. Реакция только другая. Я так обиделась на Лермонтова: ну зачем он придумал ей такую жизнь?.. Эти муки и смерть.

— Муки и смерть, — вдруг медленно произнес Александр. — Не думал, что кому-то это скажу. А нести одному тяжело. Когда у Нины начались муки, я постоянно просил судьбу подарить ей смерть. Я думал и о другом. О том, что надо ей помочь. Она иногда просила, когда становилось невмоготу. Я не смог, а она была совсем бессильна. Это длилось бесконечно долго.

— Но…

— Это все — исключительное «но». Я возил ее в Израиль. Операция оказалась бесполезной: слишком запущенный случай. А у нас… У нас муки не снимают. Усугубляют. Очень плохой препарат, который можно получить — две или три ампулы, — обив несколько порогов, отсидев в очереди. В пятницу к вечеру ты уже опоздал. Просите смерти до понедельника. Потом можно еще пожить… Нина же хотела умереть только на родине. Здесь много ее предков.

— Я не знаю, как сказать…

— Как утешить? Это не нужно. Это мое. Это наше с Ниной. У нас в самые тяжелые времена были светлые минуты. Ни у кого не было таких отношений с женой. Ни у кого, кого я знаю. Мужем и женой в прямом и примитивном смысле мы практически не были. Поженились по взаимной влюбленности, духовному родству. Потом… Вскоре она сказала, что, наверное, беременна. Но выяснилось, что это одна из самых зловещих раковых опухолей. Зрела в ней давно. Боролся юный организм. Брак, волнения, первая брачная ночь — все это спровоцировало прогресс. Прогресс опухоли, регресс нашей жизни. Но мы хорошо, благополучно жили... В промежутках. Большие такие периоды ремиссий, надежд после операций. Умирая, она меня благодарила за счастливые восемь лет. Она назвала их счастливыми. Годы своей боли.

Дина с ужасом чувствовала, как спазм уже знакомой боли сжимает ее сердце, грудь, виски, все... В третий раз в жизни. Но это же совсем чужой человек... Она не знала его Нину. Что с этим делать? Что сказать? И выпалила:

— Привезите мне Кляксу. У меня две комнаты. Буду запирать в одной, все лучше, чем на улице. Вам нужно очень много сил и мужества, чтобы справиться с этим... вот не назову несчастьем. Такое было ваше счастье. Просто вынести, наверное, очень трудно.

— Вынести счастье... Да, так может сказать только Бела с картинки. Я все вынес. И был награжден Кляксой. Нина дала знак. Даже не знаю, любила ли она собак. Но в счастье, испытаниях и знаках толк знала. Так что, путница в ночи, нельзя вымыть собаку только один раз. И лишь один раз заварить чай мужчине, который узнал вас по детской картинке. Мы можем рассчитывать на то, что вы нас навестите?

— Ой. Конечно. И привезу все, что нужно. Я-то никого пригласить не могу. Лорд чужого не пустит. Прямо «вдовий пароход» — ваша машина. И я вдова.

Глава 5

Несколько дней Дина и Александр не виделись и даже вроде бы и не вспоминали друг о друге. Александр готовился к последнему, решающему заседанию суда, Дина… Понимая бесполезность своего занятия, она все-равно искала, искала в Интернете: в поисковиках и по разным соцсетям людей по имени Валерий Николаев. Только москвичей было — не счесть. Но не факт, что человек, который написал Вадиму письмо, — из Москвы. Общее дело бывает у людей, живущих в разных странах. Многие люди писали с ошибками, многие люди могли пересекаться с Вадимом по местам работы… Да кого только не было. Дело в том, что Дина, профессиональный журналист, как никто другой, понимала бессмысленность своего занятия. Она со своим удостоверением и засвеченным лицом получила бы полную информацию на нужного Николаева, показав письмо полиции, максимум за три дня. Если бы подключила Артема, то вопрос был бы решен в течение часа. А дальше… Рот никому не зашьешь. Продавать информацию желтой прессе не запретит даже папа римский. И она просто видела идиотские, циничные, лживые заголовки с заманухой: «Тайна убийства известного тележурналиста», «Убитый тележурналист был связан с криминалом», «Вадима Долинского убил его партнер по криминальному бизнесу», «Тайный бизнес тележурналиста»… Ей это надо? Нет. Это предательство, это надругательство над памятью близкого человека, это, в конце концов, просто сумасшедшая идея истеричной дамочки, которая — и в этом Людмила, видимо, права — очень похожа на месть за свое одиночество. Но это неправда... Дина плакала от усталости и безысходности. Она просто должна все узнать, чтобы защитить Вадима, который стал совершенно бессильным... Да, так сказал Александр Гродский о своей жене. Он не смог помочь ей умереть, чтобы избежать боли. А Дина не может узнать правду, чтобы постоять за Вадима. Неважно, уже неважно, был ли он во всем прав. У смерти свои законы. Если жизнь оборвали вот так, неестественно, подло и жестоко — кто-то должен ответить. Но она занимается такой ерундой.

Александр Гродский! Она о нем не вспоминала, потому что вообще-то не забывала. Просто отодвинула на задний план. За ходом процесса следила. Знала, что сейчас ему даже не до телефонных разговоров. Дина пару раз брала телефон, хотела позвонить, чтобы спросить о Кляксе. И оставляла эту мысль. Может, собаки у него нет. Лучше не знать. Но она только сейчас подумала, что адвокат имеет массу возможностей в чем-то разобраться. У него наверняка есть свои каналы, следователи, информаторы. И, самое главное, ему можно это доверить. Это и есть то важное, что она поняла в их общении, странном и забавном. Забавном... До его рассказа о жене.

Дина выключила компьютер, посмотрела на часы и календарь. Три часа ночи. И день последнего заседания в процессе. Потом приговор. А у нее сегодня две записи — за себя и за коллегу, который попал в больницу с аппендицитом. Потом, правда, будет два свободных дня. Но ей нужно сегодня! И это никак невозможно. Разве что выкроить минут пятнадцать, с дорогой — примерно час.

Дина приехала утром на запись в темно-сером длинном платье с высоким воротом-стойкой. Это не была «спецодежда» Артема. Она просто заказала платье как-то по Интернету за смешные деньги. Ни разу не надевала. Утром вдруг скользнула в него на всякий случай, была уверена, что не подойдет, отнесла бы дворничихе. А оно обняло фигуру, сделало ее стройнее и совсем другой. Женщиной тумана. Она провела руками по своим пышным волосам, которые вскоре начнет укладывать в красивую прическу визажист. И стянула их туго на затылке. Лицо совсем открылось, глаза смотрели прямо и честно, как должны смотреть глаза человека, которому собираются вынести несправедливый приговор. Дина себе подмигнула, вспомнив смешные стихи Галича, когда мужчина читает написанный ему доклад от женского лица.

— «...Как мать, — говорю, — и как женщина», — сказала Дина отражению.

Визажисту удалось в то утро только подкрасить ее немного в соответствии с другим обликом. От укладки, как обычно, она категорически отказалась. Оставила собранный сзади хвост. Дина пошла в студию, визажист побежал к Артему.

Тот вошел к ней, когда Дина просматривала свои бумажки. Оператор уже готовил нужный план.

— Такой сегодня образ? — спокойно спросил Артем.

— Ну да, — кивнула Дина. — Извини, Артем, но вопрос решен, тем более осталось три минуты.

— А я не против, — вдруг улыбнулся Артем. — Хотел сказать, что ты похожа на Крупскую, но она не была такой красивой. Возможно, в том ее удача.

— А в чем удача? — не сдержала Дина любопытства.

— Мужики не доставали, в мужа стреляли точно не из-за нее.

— Что ты сказал?!

— Прости, сорвалось. Глупая шутка. Слишком глупая.

Так и началась передача. У Дины были зрачки на всю радужку. Такие «глупые» шутки не срываются просто так. Но вопросов Артем не дождется. Она сама...

Глава 6

Входная дверь здания суда была закрыта. Во дворе стояли люди с плакатами, на которых от руки было написано слово «свобода». Крамольное нынче слово. Дина показала удостоверение хмурому охраннику. Тот сначала полез за списком аккредитаций, потом махнул рукой:

— Да идите. Надоело все.

— Что так?

— Сыт по горло. Кем меня только сегодня ни называли. Стыдно будет своему ребенку в глаза посмотреть. А я что? Говорят, пускай — пускаю. Говорят: не пускать — не пускаю. И все!

— Меня нет в вашем списке. Просто некогда было оформить.

— Да какая разница. Идите. Я видел вас по ящику. Не пущу — вы расскажете, какой я сатрап. Может, для того и не «успели» оформить.

— Подозрительный вы. Но спасибо. Я буквально на пятнадцать минут. И, между нами, процесс не объявляли как закрытый.

— Вот о чем и я. Буду крайним. Просто у них зал не резиновый. Но вы поместитесь. Начнете кричать «позор» и «свобода»?

— Нет. Мне кричать вообще нельзя. Голос берегу для работы. А что, нельзя?

— Мне все равно. За зал не я отвечаю. Так спросил, поговорить…

Дина вошла, когда заседание явно завершалось. Говорил Александр. Девушка в клетке увидела Дину и слегка заметно кивнула. Она была в наручниках. Дина подняла в знак приветствия руку и быстро отвела взгляд в поисках места. Ей нельзя смотреть на людей в клетке. Сердце заходится, и слезы близко. А у нее накрашены глаза… Она нашла свободное место у стены и села.

— …В деле есть три экспертизы и не менее десяти свидетельских показаний, которые доказывают стопроцентное алиби моей подзащитной, — говорил Александр. — Потрясающий, уникальный в моей практике случай, ваша честь. Вы это не заметили. Повторю по слогам. Вы, судья, НЕ ЗА-МЕ-ТИ-ЛИ важных материалов! Вы не отказались это приобщить, не опровергли другими материалами. Вы, как говорят, просто проехали. Хорошо, даже отлично. Все в деле, а рукописи, как известно, не горят. Дойдут и эти документы до человека, имеющего представление о миссии судьи.

— Я вас попрошу, — резко сказала женщина в мантии. — Без оскорблений. Насчет миссии судьи: могу и слова лишить.

— Можете, — согласился Александр. — Я даже не буду возвращаться к тем материалам. Мы о них толкуем столько дней, точнее, месяцев… Я наговорил речей на много процессов, наверное. Поэтому сегодня просто в порядке развлечения, что ли — покажу-ка я вам маленькое такое кино. Документальное. Видео на телефоне. На телефоне, который, каюсь, просто силой изъят у конкретного человека. Готов нести ответственность.

— Так, — сказала судья. — Начинаются фокусы.

— Ну да, — кивнул Александр.

Секретарь помогла ему вывести видео на монитор.

— Вы все видите момент убийства. Это даже больше похоже на казнь, чем на убийство. Два человека держат третьего, лицо его здесь хорошо видно. Это тот человек, за убийство которого арестована моя подзащитная. Которая была в это время в другом месте, да еще не одна, а со свидетелями. Она была с оружием. Но это был тир! Его адрес есть в деле. Этот адрес далек от места, которое вы видите сейчас.

Человека, которого убьют, звали Анатолием Свиридовым. Сейчас выйдет четвертое действующее лицо, вот оно… И, как видите, расстреливает в упор Свиридова. Киллера можно без труда узнать, и представитель обвинения вряд ли не знает, кто такой Колян Северный, рецидивист, выкупаемый работодателями с любых сроков, даже с пожизненного, как это было в последний раз. Кино, собственно, закончилось. Оно снималось одним из участников казни для заказчика. По этому же телефону можно увидеть, кому отправлено. Для следствия дальше — просто гамма. Семь нот.

— Ваша честь, — поднялся прокурор. — Что это за фальшивка? Мы вроде не в песочнице. Такое «кино» умельцы сделают на заказ за сотню долларов. Вы же понимаете, что серьезные доказательства не выдают эффектно под занавес. Когда зал полон прессы. Господин адвокат работает, как обычно, на свой пиар.

— Да, — сказала судья. — Мы, конечно, постараемся проверить, что в данном случае сложно, ввиду отсутствия всех действующих лиц. Возможно проверить лишь факт монтажа. Но уже сейчас скажу, господин Гродский, ваша выходка несерьезна и неуместна. Об этом киллере вообще не было речи на предыдущих процессах. И вдруг — туз в рукаве. Придумали накануне? У вас был последний шанс сказать что-то, смягчающее вину вашей подзащитной, а вы именно нас развлекли.

— Развлек, — улыбнулся Александр. — Я так рад. Наш контакт был долгим и бесплодным. И поэтому у меня последний аккорд. Сейчас мой помощник, частный детектив Сергей Кольцов введет в зал заседаний Николая Печкина, он же Колян Северный. Колян давно рвется в светское общество. Сидит у нас под замком ровно три недели. Офис частного детектива пришлось укреплять и поставить платную охрану. Удобства, то-се. Колян — профессиональный сиделец, знает свои права. Если Колян напишет заявление по факту похищения, мы с Кольцовым готовы отвечать. Но он сказал нам, что ему было хорошо. Собственно, вы сможете это уточнить у него. Телефон я у него отобрал, даже девушкам он позвонить не мог.

— Что за цирк? — тревожно посмотрела на прокурора судья.

Прокурор застывшим взглядом смотрел, как из адвокатской комнаты высокий синеглазый блондин небрежно подталкивал вперед коренастого мужика в наручниках.

— Это он, — произнес прокурор. — Это Колян. Я так и знал, что его не убили, как нам сообщили, типа сбежал, стреляли, нашли труп Коляна. Г… не тонет.

— Наше с кисточкой, — сделал реверанс кривыми ногами Колян. — Ну, че, добился мне пожизненного?

— Спокойно, Николай, — произнес Александр. — Работа не сделана. Вы все видите — у меня в руках телефон Печкина. И по нему я сейчас найду разговор Николая с заказчиком убийства. Есть и расшифровка этого разговора для приобщения к делу. А все разговоры с заказчиками Колян записывал, потому, наверное, и жив до сих пор. Шантажирует.

Александр включил диктофонную запись телефона:

«— Значит, так, Колян. Эта гнида там, где я сказал. За ним присматривают. Границу не пересечет. Банк — ну, тут ничего не попишешь. Ушел мой банк со всеми деньгами. Свою задачу понимаешь. Даже труп никогда не должны найти.

— Ясен пень. А ушел банк на ножках или еще ходит — это не мое дело, — прошепелявил сквозь свои выбитые зубы Колян. — Мои деньги, как договорились. Ни на цент меньше.

— А ничего, что я тебя выкупил с пожизненного, а ничего, что ты уже всех баб поимел и все рестораны в Москве обожрал на мой аванс? Ладно. На то ты и дерьмовый убийца, чтобы ничего больше не соображать. Деньги будут в банке Сингапура. Билет тебе туда дадут. В самолет посадят. Там встретят, все там у тебя будет. Но сюда — не вздумай. Никогда. Ты это хорошо усвой. И на тебя найдется другой Колян».

Судья и прокурор почти не дышали. Не узнать голос заказчика было просто невозможно. Олигарх, высокий чиновник, владелец всего-всего. Банки у него на самом деле постоянно кто-то «грабил» и банкротил. Большие такие, богатые банки для элиты.

— Я так понял, — негромко сказал Александр, — что все узнали голос собеседника моего друга Коляна. И многие, видимо, в курсе, что Свиридов был его заместителем по этому ограбленному банку. А перед этим банком грабили другие, исчезали другие заместители. Некоторые прекрасно живут сейчас в других странах, полагаю, на свой процент. Версия о том, что таким образом данный заказчик грабил людей и выводил деньги из страны, — она на поверхности. Доказывается легко. Зарубежные партнеры с интересом пойдут навстречу в проверке. А Свиридов его обманул. Деньги спрятал так, что найти не удалось. Раньше никто и не пытался прятать: жить хотели. Свиридов рискнул, где деньги, не наша забота, их просто нет. В отличие от трупа самого Свиридова, который сейчас находится в морге у эксперта отдела по расследованию убийств. Колян помог отрыть. И пули в этом трупе никак не могли вылететь из пистолета моей подзащитной. Что легко доказуемо. Николай готов показать место, куда спрятал орудие убийства. Явка с повинной вообще для него характерна. Тюрьма — давно его дом родной и санаторий.

— В Сингапур они меня сослали! — выдохнул Колян. — А это! — Он умудрился в наручниках сделать неприличный жест. — Не, ничего, чисто, хата, в ней какая-то баба. Счет есть на мое имя. Но я там выл. Там же поговорить за жизнь не с кем. И денег вдвое меньше, чем договаривались. Ох, как я это не люблю.

— Конечно, Колян, — мягко сказал Сергей Кольцов. — Тебе же есть с чем сравнивать.

— Безобразие! Афера, господин Гродский! Как вы могли такие факты скрывать и от следствия, и от суда? — произнес прокурор.

— Да как-то не хотелось, чтобы наши с Коляном трупы никто не нашел. Меркантильный интерес. Кто воспользовался телефонным правом по этому делу, мы не просто в курсе, ваша честь. Против лома есть приемы. Информацию всегда ищи у конкурентов. Я не произношу пока фамилии заказчика, вы ее не произнесете до конца заседания, а все в зале ее знают. Голос специфический. История с банком известная. Зал заполнен прессой, в том числе и зарубежной. Через пять минут мы окажемся в центре сенсации. Расшифровки разговоров с вами тоже есть. И вы не поверите, но разрешение на прослушку разговоров с вами получено. На основании закона. Эту запись вы видите не первыми. Первым зрителям понравилось. А операторы — отзывчивые, законопослушные люди.

Судья ушла и вернулась, сократив свое время на подготовку приговора до двадцати минут. Планировалась неделя.

— …Наше решение: невиновна… Освободите бывшую подсудимую в зале суда… Что касается ваших интриг, Гродский, то я только что написала заявление об уходе. Спасибо вам. Мне до пенсии меньше года.

У Дины шла кругом голова, она не могла поймать ни одной мысли. Только сердце рвалось и рвалось. Она как-то оказалась у клетки, из которой выпускали девушку, снимали с нее наручники. Дина прижалась к ее щеке мокрым лицом, по которому наверняка потекла тушь. Потом вдруг поцеловала две тонкие, почти детские руки.

— Дина, вы? — раздался за спиной голос Александра.

И она, забыв про стыд, приличия, свое положение, ревела практически в голос у него на груди. А он вынул чистый носовой платок и вытер ей глаза и нос.

Глава 7

Они вышли вместе.

— Вы на машине? Домой? — спросил Александр.

— Нет, на оба вопроса. У меня сегодня две записи, за себя и «за того парня», заболел коллега. Я выскочила в промежутке. Записала только один выпуск. Получила блестящий материал для второго благодаря вам. Редакция наша ведь недалеко. Я вообще пешком добежала. Машиной почти не пользуюсь. Не мое это. Задумываюсь, навигатор говорит: направо, поворачиваю налево…

— Ну да. География — наука для извозчиков.

— Вот именно.

— Я вас, конечно, отвезу в редакцию. Жутко хочется обратиться с нескромной просьбой.

— Обратитесь.

— Меня не пустят к вам на запись? Очень хочется посмотреть, как это...

— Вас так интересует телевизионная кухня?

— Да нет, она меня совсем не интересует. Я и сам довольно часто имею приятность или неприятность участвовать в записи телепередач. Хочется посмотреть, как работаете именно вы. Тем более вы собираетесь говорить о процессе. Это вроде формальный повод. Не подумайте, что я лукавлю и просто хочу проконтролировать то, что вы скажете.

— Это как раз очень важно.

— Ну, о процессе сегодня скажут и напишут столько человек, что не так уж важно. Спектр мнений всегда интересен сам по себе.

— Александр, конечно, поехали, я вас приглашаю. Но... У меня тоже просьба. Пригласила вас именно я. В таком порядке, хорошо? Это для владельца канала, который как раз все контролирует. Нет, он ничего не запретит. Просто не хочется ему объяснять то, что вы сказали. Другой вопрос: я пригласила эксперта по делу, чтобы не допустить ляпов. Ведь у меня нет времени на проверку.

Они сели в машину Александра, Дина какое-то время была явно в своих мыслях: продумывала текст. Потом взглянула на спутника и сказала:

— Артем, владелец канала, — это мой бывший муж. Я — его Галатея, как он считает. Так уж повелось, что я прислушиваюсь к его замечаниям и требованиям не только как подчиненная. Я знаю, что он профессионал. Он знает меня…

— Что-то такое я и подумал сразу.

— Интересно, — задумчиво произнесла Дина, — номер, который вы сегодня проделали, — это такая храбрость? Вот так бросить себя на амбразуру? Ради чужой девушки или ради справедливости… Не так важно. Важно, что Гнесин, разоблаченный вами как заказчик преступления, известен всем как практически серийный убийца. Просто до сих пор никто и ничего так не доказывал и не показывал на пальцах. Об этом говорят друг другу на ухо. Все. Я с ним встречалась на каком-то приеме. Это подонок без границ. Способен на что угодно.

— Нет, это не безумная храбрость. И вовсе не амбразура. Вот если бы я подарил материалы следствию и суду, заказанными именно Гнесиным, то сейчас наверняка не вез бы вас. Он подонок, я его знаю, можно сказать, хорошо. И, конечно, там уже есть паранойя, все отклонения психики, связанные с тем, что давно припал к роднику крови. Но самый буйный сумасшедший не станет убивать того, кто его сегодня разоблачил.

— Сегодня не будет убивать…

— А завтра у него возникнут большие проблемы. Я показал это крошечное видео, которое проплаченная экспертиза признает монтажом, постановкой, хоть анимацией… Включил эти почти смешные записи разговоров, которые можно до потери пульса опровергать. Например, «я имел в виду именно гниду убить, то есть вошь», — утрирую. Но для человека с такими деньгами возможен любой бред, который сойдет за доказанную реальность. Просто это маленькая такая вершина айсберга. Все остальное уже не у меня. Не только у меня. Все остальное у людей, которые очень хотят обрушить на него весь айсберг. Их интерес — не справедливость и не судьба девушки. А деньги! Деньги Гнесина, которые давно не дают спать очень многим. Люди гибнут за металл, как известно... Свиридов погиб, те, кто получил возможность свалить Гнесина, не погибнут. Как сказал господин прокурор, кое-что не тонет. И Гнесин это знает.

— А Колян?

— Вы настолько ангел, что и его пожалели? Это киллер!

— Я поняла. Просто... Он ведь пошел на это. На разоблачение. Мог бы спокойно жить в Сингапуре. Нет, дело не в этом. Умом понимаю, что он киллер, но я видела такого смешного человека, с этим реверансом, с этим неприличным жестом... Живого человека.

— Вот потому вы поступаете очень порядочно, собираясь осветить это дело. Проблема действительно в том, что Колян — единственный свидетель всей истории. Остальные люди на ролике убиты. Как и тот, кто снимал. Если убьют и Коляна, а именно в тюрьме это удобнее всего: повесился, к примеру, такая беда, а дело можно технично развалить совсем. Этот вариант я, конечно, не исключаю. Если говорить суровым языком криминала, то в результате того, что стало всеобщим достоянием, жить будет или Колян, или Гнесин. Сидеть последний не будет точно. А если о позитиве, то сегодня у Коли такой бенефис... Его цена возросла в десятки раз. Его могут выкупить даже у смерти. Все будет хорошо.

— Артем мне иногда говорит: «Все будет хорошо». Он заинтересован во мне как в работнике. Но по жизни я печальный и беспомощный человек, — сказала вдруг Дина неожиданно для самой себя.

— Вот уж нет. Я видел всего одну передачу, но ее вела богиня истины, справедливости и… возмездия. У меня на каждое слово в суде в запасе тысяча выстрелов в упор, образно говоря. Но вы откровенно работаете без страховки. Это просто опасно.

— Артем контролирует ситуацию.

— Надеюсь, но… это очень сложно. Нереально все просчитать. Даже шизофреника с бритвой. Простите, я просто увлекся, не собирался вас пугать. Просто варюсь в таком материале. Значит, печальный и беспомощный человек? Нужна помощь?

— Да, — выдохнула Дина.

Глава 8

Людмила ехала домой. Вопрос решился быстро. Позвонили кому надо партнеры: поставщики, инвесторы, — без нее дело реально встанет. «Искалеченные» менты тут же исцелились, забрали заявления. Свозили ее к мировому судье, выписали квитанцию на штраф в пять тысяч рублей. Ехала она без мыслей и чувств. Так долго жила, как в страшном сне, а настоящий кошмар подкрался незаметно. Все забыли обо всем давно, и тут явилась эта журналистка, которая корчит из себя безутешную вдову. Если она будет рыть, как собирается, то предусмотреть развитие событий нереально. Конечно, Людмила ничего не боится. Конечно, она будет только приветствовать свой самый страшный конец. Но в одном случае. Да, есть у нее условие судьбе. Пусть бы ее растоптали или сослали в тьмутаракань за пьяную выходку. Что угодно. Ни физической боли она не боится, ни оскорблений, ни лишений. Пусть завтра у нее отберут лавку, все счета, выкинут из квартиры. Она сплюнет под ноги и пойдет мыть лестницы. Ночевать в подвалах. А вот в свое прошлое, в настоящее, которое как-то оказалось всего лишь бледной тенью прошлого, она никого не пустит. Вину ее в том никто не будет решать. Отбиваться станет всерьез, насмерть. Никого не пожалеет. А кого может пожалеть человек, который никогда никого не жалел. Даже…

Она глубоко вздохнула. Вот и дома. Неплохо все же из тюрьмы вернуться в не тюрьму. Людмила сняла с себя всю одежду прямо в прихожей, побросала на пол. Запах тюрьмы. Потом долго мылась, оттиралась. Вытереться не хватило сил. Так вдруг сморила усталость. Упала на свою кровать, мокрая, сразу провалилась…

— Кричи, — говорила ей девушка-санитарка, вытирая кровь с подбородка из прокушенной губы. — Больно же. Тяжело идет. Разрывает тебя. Раскормила дитё.

— А чего мне кричать? — прохрипела Люда. — Не грабят. Наоборот, с прибытком меня…

— Да, — сказала через какое-то время девушка. — Прибыток у тебя такой ладный. Девка. Диво, так говорят.

Детский пряный, сладкий запах чуть не задушил Людмилу во сне. Напал, как мститель. Людмила проснулась от своего крика. Уже не спала, а крик продолжался... Вот и закричала, как ей советовали тогда... Через три года.

Она встала, сильно потянулась, сделала несколько приседаний. Потом отжалась от пола десять раз. Мышцы надо тренировать постоянно. После ночи между ножками стула они не то что ослабели, но както растерялись, что ли. Людмила не знала, зачем ей жизнь, но в том, что ей необходимо сильное и ловкое тело, была уверена. Смысл? Не вопрос. Это как в детской игре в войну. Не сдаться без боя. Это все, что она хотела знать о самой себе.

Она влезла в домашний велюровый комбинезон, который ее вдруг так нежно согрел, просто приласкал. Да, хорошая вещь — тюрьма. Начинаешь замечать, что без нее у тебя есть приятные моменты. Людмила спокойно вошла в кухню, спокойно приготовила себе плотный завтрак: омлет, тосты, кофе с молоком. Даже взбила себе в комбайне творог со сметаной, медом и сливочным маслом. Вкусно, глюкоза для мозга, кальций для костей, калории для мышц... Не спеша помыла посуду. Надела джинсы, свитер, массивные и на самом деле очень удобные ботинки, в которых хорошо везде: и в горах, и на льду, и в грязи. В прихожей какое-то время выбирала одну из довольно большого количества спортивных курток. Потом захлопнула шкаф. Ей куртка не понадобится.

Она вышла из дома, села в машину и уверенно поехала туда, к ней, куда вроде бы и не собиралась ехать.

Москва местами уже весенняя — грязь и лужи, здесь, в деревне, в которую приехала Людмила, — совсем зима. Сугробы, засыпанные снегом дворы, березы даже не белые, они выбеленные, сияющие своей беззащитностью, протягивающие в мольбе к синему небу тонкие, ломкие ветки-руки… Людмила остановила машину у одного дома, который вообще не был похож на жилой. Даже занавесок на окнах не было, никаких построек во дворе, ни скамеек, ни веревок для белья, как в других дворах, тут не имелось.

Людмила легко открыла калитку шаткого забора: сверху сняла крючок, на который эта «крепость» закрывалась. Шла по нечищеной и сегодня даже не протоптанной дорожке. Но ОНА была дома. На перилах узенькой и тоже заснеженной террасы висело атласное пуховое одеяло. Такой бзик у этой неряхи. Каждое утро вывешивает проветривать свое пуховое одеяло. То ли считает его особой ценностью, то ли просто никогда не моется. Сама задыхается под ним. Второе вернее.

Дверь в дом тоже на хлипком крючке, Люда просто вышибла ее ногой. Второй крючок — это лишнее. ОНА стояла в узком коридоре на нечистом деревянном полу толстыми босыми ногами в одном из своих ситцевых цветастых платьев. Где она их берет?.. Людмила никогда таких не видела в продаже.

— Люд, ты, что ль? — оторопело спросила ОНА.

— Есть сомнения? — уточнила Людмила. — Это хорошо: богатой буду.

Она собрала в кулак ворот пестрого платья и притянула хозяйку к себе.

— Рая, так где ты похоронила Виту? Нет, не в таком порядке. Как ты ее убила, расскажи. А потом мы поедем туда, где ты ее похоронила. На то кладбище, где тебе нарисовали бумажку, не собиралась я ездить. Закрыла этот вопрос. Но, Рая, не похоронила ты там Виту. Нет ее там на самом деле ни в каких настоящих документах.

Толстое лицо Раи с красными прожилками стало багровым, глазки таращились от ужаса и удушья.

— Пусти, Люда. Я не могу говорить.

— Говори. — Людмила отпустила ее.

— Вот если честно, скажу как на духу. Не знаю, что на тебя нашло. Что ты на меня наехала так? Столько времени прошло! Что уже там осталось от твоей Виты?.. Ты сказала, чтобы я это сделала. Я сделала. Там не там — какая разница? Ты же сказала, что тебе все равно. Ты не поедешь смотреть.

— Где?

— Да я забыла уже, Люда. Куда-то меня отвезли. Ты ж понимаешь, светиться мне сильно не надо было. Где зарыли, там зарыли. Какую бумажку дали, такую дали.

— Как ты это сделала?

— Да одеялом своим...

Людмила аккуратно взяла Раису за плечи, прислонила к стене. И точно, безошибочно, сознательно и беспощадно стала уничтожать ее толстое лицо железными кулаками. Коленом она не давала женщине сползти на пол, пока не закончила эту работу. Лицо превратилось в кровавый блин — без глаз, носа, рта, зубов... Потом она дала ей упасть. И массивные ботинки месили это рыхлое тело, пока Людмиле не показалось, что у нее под ботинками жидкая грязь… Примерно так это и выглядело.

Закончив свое дело, Людмила вошла в кухню, подняла по очереди ноги в раковину, вымыла ботинки. Затем тщательно помыла руки. Переступила в коридоре через то, что было Раисой, и вышла на террасу. Масса на полу за ее спиной хлюпала и хрипела. Людмила постояла на террасе, выравнивая дыхание, посмотрела на алое пуховое одеяло. Взяла его, вернулась и набросила на Раису.

— Одеялом, говоришь?

Люда расхохоталась. Хохотала и хохотала, пока ей не показалось, что у нее лопаются глаза, пока уши не зазвенели, оглохли, а затем услышали то, чего нет. Детский плач, детский зевок, детское чмоканье у груди. И вдруг согнулась от резкой боли внизу живота. Кажется, по ногам потекла то ли кровь, то ли воды, как тогда… Господи, она же сошла с ума. Ей кажется, что она рожает Виту опять… Людмила упала в лужу Раиной крови. Ох, сколько в этой корове кровищи. Море… Хватит, чтобы утонуть обеим.

Глава 9

У Ани все получилось. Той ночью, когда Артем сам ее вызвал, она не спала, когда он уснул. Она думала. Так напряженно, что голова разболелась. Задача была тяжелая: как здесь остаться. Хоть на пару дней. Создать прецедент, как говорят умные люди. Один раз пара дней, другой раз — неделя. А там, глядишь, Артем привыкнет, что она здесь. Когда разболелась голова, пришло и решение. Она вспомнила, как в детстве обманывала маму и прогуливала школу. Жаловалась на высокую температуру, перед этим прикладывала грелку ко лбу и раздирала нос и глаза жестким полотенцем. После чего насморк действительно начинался, от безысходности, что ли, чтобы хуже с носом не поступили. Мама озабоченно бежала к аптечке за градусником, заваривала крепкий чай с лимоном, ставила кружку на тумбочку, сама она ни на секунду не могла зафиксироваться, столько дел везде. Дальше — вопрос техники. Градусник к грелке или в чай. Если зашкалит за сорок, надо сбить, а то «Скорую» вызовет. Тридцать восемь с копейками — самое оно, чтобы тебя не пустили в школу и оставили досыпать.

В аптечке Артема градусника не оказалось. Здоровый он, наверное, никогда не болел. Там и из лекарств — только бинты да йод. Да что он, лечиться сам будет, даже если заболеет… Свистнет, прибегут придворные врачи, наверное. К Ане он никого не вызовет точно. Он не хочет, чтобы ее видели в его доме слишком часто, постоянно — исключено. Ну нет градусника, тем лучше. Нос и глаза она натерла до цвета свеклы. Не за красоту он ее… как бы выразиться цензурно. Лучше не выражаться, а то самой обидно станет. Проехать. Она лежала и смотрела, как он начинает просыпаться. Это интересно. Вот спит человек, глубокое, ровное дыхание, крепко закрыты глаза, вдруг глаза открываются — и сна, что называется, ни в одном из них. Взгляд сразу серьезный, проницательный, жесткий. Тут она достала его же большой носовой платок, который заранее принесла из шкафа в ванной, и стала сморкаться, чихать и даже издавать сдавленные звуки, как будто дышать не дают воспаленные миндалины. Когда-то у нее так было, она знает, как выглядит. Но миндалины удалили еще в школе. А навык остался.

— Что с тобой? — безразлично спросил он. — Простудилась, что ли.

— Не то слово, — натурально прохрипела Аня. — Дышать нечем: нос заложен, а горло… У меня эти, миндалины.

— Надо же. Вечером была совершенно здоровой. Но бывает, конечно. Инфекция, инкубационный период. У меня лекарств нет, к сожалению. Приедешь домой, закажи что-то по Интернету. Есть такие препараты, которые тремя таблетками все снимут.

— Да, обязательно, — задумчиво сказала Аня. — А сейчас пойду, наверное, ноги попарю, так мама мне делала, когда я болела.

Аня хотела добавить, что после этой процедуры обязательно нужно лежать в тепле, ехать никуда нельзя, но посмотрела на отстраненное лицо Артема и промолчала.

— Давай, — сказал он, уже встав. Он явно думал о чем-то очень от нее далеком. Будем считать, о делах. — Я приму душ в тренажерном зале. Кстати, сварю тебе кофе по особому рецепту. Как говорят африканцы, мертвых поднимает.

— Ты? Мне? — Ресницы Ани взлетели так высоко и счастливо, что Артем отвел глаза.

Эту девочку он может осчастливить любой ерундой. Но что же делать, если эта девочка по большому счету ему не нужна. Может, она хороший человек и была бы кому-то прекрасной женой. Это ее проблема. Он понятия не имеет, что она за человек. Он очень экономит свои серые клеточки, думать о чем попало ему не приходится. Он знает, что у Ани в физиологическом плане все на месте. Она чистоплотная и, возможно, даже верна ему. Второе не так важно. Ее эмоции не должны ему мешать. И, кстати, она с ними не лезет особенно. Что большой плюс. Он не одну девушку выбрасывал из своей жизни из-за того, что наутро после совместно проведенной ночи она начинала ворковать «миленький» да «дорогой». Это значит, места своего не поняла.

«Дорогой»... Так по-прежнему его называет Дина. У нее это слово ничего не значит, кроме того, что она признает его право быть рядом с ней в таком казенном качестве. Она и с микрофоном, и с наушниками иногда нежно разговаривает. Не говоря об операторе, гримере... У Артема есть свое место на этой ее лестнице обязательных предметов и людей. Он часто остается с ней наедине в своем кабинете, никогда не позволит себе ее поцеловать, несмотря на нестерпимое иногда желание. Нет ее зова, значит, это может быть для нее пыткой, потому что оттолкнуть она не сможет по своей деликатности. Плохо, что он с утра вспомнил о Дине. Да еще не в контексте дела. Он избавился от брака с ней — да, он избавился, даже если ей кажется, что это она от него избавилась, потому что ему не нужна кабала под названием «любовь». Он — человек дела. А дело и любовь — вещи враждебные совершенно точно. Он это понял окончательно в вечер того покушения. Когда на него шли потенциальные убийцы с ножами — он пошел на них уверенно. Это спасло его жизнь. А если бы они схватили Дину, стали ее мучить или насиловать на его глазах, они добились бы всего. Отдал бы бизнес, дело жизни, все деньги, квартиру, дом и машины, не задумываясь. Идиот посылал тех налетчиков, не так проинструктировал. Потом были другие. Но он уже избавился от ахиллесовой пяты — брака с Диной, от родства с ней — потому и приобрел репутацию заговоренного, отчаянного, непобедимого… Охрана ему не нужна.

Артем отправился в тренажерный зал. Вытеснил дурь из головы самыми тяжелыми и сложными упражнениями. Аню он не вытеснял. О ней он уже забыл.

Но когда спустился в кухню после душа, вспомнил, что обещал кофе по особому рецепту. Сварил его. Он любил и этот процесс, и запах, и начало своего сложного дня. Аня приплелась в кухню в его банном халате, больших носках из верблюжьей шерсти, которые у него лежали, — чей-то подарок, пар пятьдесят, — но он их никогда не надевал.

Она продолжала тереть нос и глаза платком, изображать затрудненное дыхание. Артем на нее больше не смотрел. Придвинул кофе, жестом показал на холодильник, чтобы взяла там чего-то поесть, сам он никогда не завтракал, и продолжал разбираться в своем айфоне, проверять пропущенные звонки и сообщения. Аня пила кофе ровно до момента, пока он не встал из-за стола. Легко просчитывать мужчину, который построил свой распорядок по минутам.

Потом они оказались в одно время у выхода из кухни, и она стала терять сознание. Падала, цепляясь за косяк двери, глаза закатились, вроде даже черты лица обострились.

— Черт, — выругался Артем от неожиданности.

Он легко подхватил ее на руки, внес в гостиную, положил на диван, похлопал по щекам, потряс. Она медленно стала открывать глаза, ловить ртом воздух.

— Ну, что? — спросил он уже нетерпеливо. — Как ты? Давай заброшу по дороге в какую-то клинику. Я должен уже выбегать.

— Не нужно, — слабо проговорила Аня. — Ничего страшного. Дистония. — Она вспомнила еще один детский диагноз, возникший из-за слишком быстрого роста. — Мне нужно просто полежать несколько часов. Это скажет любой врач. Даже не знаю, что делать. Я домой не доеду.

— Да господи, раз у тебя такое бывает, лежи тут, спи. Я сегодня допоздна. Если что, звони. Кого-нибудь пришлю. Да, — сказал он уже от порога, — если что, то запасные ключи от квартиры висят в ключнице в прихожей.

И он ушел. Хлопнула входная дверь. Аня лежала, не меняя страдальческого выражения лица, до того момента, пока не услышала, как завелась и выехала его машина. После этого она вскочила и запела, затанцевала по всей квартире. Схватила со стола какие-то бумаги, подняла над головой в качестве японского веера и попала в брызги причала, в морской кабак и туда, где цветет сакура: «Кораллы, алые, как кровь, и шелковую блузку цвета хаки, и пылкую, и страстную любовь привез он девушке из Нагасаки».

Она вернулась в кухню, поела как следует. И решила сделать Артему что-то полезное, раз он так благородно поступил. Болеть она будет не один день.

Это точно. Дал все же Бог талант, который козел Никита не ценит. Уборщица приходит к Артему пару раз в неделю. Он даже таких вторжений не любит. Аня критическим взглядом окинула кухню. Чисто на первый взгляд. Но за плитой пыль, за холодильником вообще есть мусор. Она схватила тряпку, ведро и стала тщательно вытирать и выковыривать то, с чем техника не справится и что работнице не надо, конечно.

Так она дошла до кабинета Артема на втором этаже. Он не знал, что она останется, и не запер его. А может, вообще не закрывает. Там оказалось еще больше мусора, чем в других комнатах. Тяжелые стеллажи с книгами и бумагами, много тумб, бюро, письменный стол с огромным количеством ящиков. Тут Аня немножко растерялась. Не знаешь, за что хвататься. Книги, к примеру, стоят не в один ряд. Первый чистый, явно регулярно протирается, а дальше пыль — пылища… То же самое в ящиках бюро. Если бы Аня была нанятой работницей, она бы и сама так убирала. Но она — не работница. Эта мысль придала ей столько энтузиазма, что она полезла в один из ящиков стола, очень глубокий и узкий, забитый бумагами не одного года. Взяла и решительно вывалила все на пол. Протирала каждую книгу и папку отдельно. Действительно, на многих написано «архив», годы — и три, и пять лет назад.

Аня все по порядку уложила, поставила в уже до блеска промытый внутри ящик, посмотрела на мусор у своих ног, взяла корзину для бумаг, начала ссыпать просто руками. Среди обрывков бумаг, пыли мелькнуло что-то похожее на снимок. На кусочек снимка.

Аня стала нервно рыться, искать остальные кусочки. Она была уверена, что это фотография Дины. И собрала. Цветное, еще довольно яркое фото, по формату — для личного дела. Красивый мужчина, серьезный, с улыбающимися глазами. На оборотной стороне сложилась надпись. Так пишут в отделе кадров. «Вадим Долинский». Это муж Дины, о чем всем известно. А снимок не просто разорвался, потрепался. Он на хорошей бумаге и крепкий. Его порвал на восемь частей взбешенный человек! Владелец этого кабинета, больше некому. Сердце Ани оборвалось. Такая ненависть, такой ненормальный поступок. Он ее любит! Большего доказательства быть не может… Нет, может. Пять пуль в спину, как писали в газетах.

Аня подошла к столику с фотографиями в красивых рамках. Там был и сам Артем. Его родители, видимо. И, конечно, Дина. Она стояла на фоне какого-то замка и водопада в маленьком купальнике — не бикини, но совсем крошечные трусики и открытый лифчик, — пышные волосы освещало солнце, а лицо, нежное и капризное, лицо избалованной любовью женщины, обращено не к тому, кто снимает, а это наверняка был Артем, — оно обращено к будущему, в котором Артему места не оказалось. Дина немного опустила ресницы от яркого солнца, но Ане казалось, что она смотрит на нее. И в этом взгляде презрение. Она поставила эти два портрета вместе — Дины и Артема. Села рядом на пол и смотрела, смотрела на них. До того момента, пока в комнате не стало темно. Вот до этого момента Аня пожелала им обоим всех возможных несчастий, болезней, мук одиночества.

Потом быстро убрала мусор, все следы своего наведения порядка. Сполоснулась в ванной кое-как и ушла в спальню, на кровать, закрывшись одеялом с головой. Вот теперь она на самом деле больна. И не хочет, чтобы Артем видел ее. Да и сама его видеть не хочет.

Глава 10

Денис, как обычно, совершенно обнаженный, лежал поперек кровати на животе в утреннем сумраке своей комнаты и читал. Этот процесс заслуживал профессионального, лабораторного изучения. На полу перед кроватью лежали шесть открытых книг. Кроме них, несколько листков, распечатанных на принтере. Книги были следующие: «Будденброки» Томаса Манна, «Ледяной дворец» Лажечникова, два тома Константина Паустовского, женский роман, найденный на рассвете на скамейке во время уборки снега, и работа Григория Перельмана, распечатанная из Интернета. Денис все это читал одновременно! В круге стоящей на полу старой настольной лампы с треснутым зеленым пластмассовым плафоном. Расчеты Перельмана временами пересчитывал на калькуляторе смартфона. Он по очереди переворачивал страницы всех книг. Иногда внимательно, даже не один раз читал какое-то место в одной. Мог после следующей книги вернуться к этой, где нашел настолько заинтересовавшее его место. Никого не занимала система самообразования Дениса. А если бы заинтересовала… Человек, который бы это описал и проанализировал в научном труде, мог бы с этим трудом прославиться. Мозг Дениса сохранял каждую страничку каждой книги полностью, как будто фотографировал. И он никогда ничего не забывал. Очень часто перечитывал книги, но только потому, что узнал их главное свойство: в разное время, в разном состоянии, в разном возрасте эти же тексты открывают новый смысл.

Он так увлекся, что не сразу понял, что звонил его мобильник, включенный на приглушенный звонок.

— Да, Аня. Да. А что случилось? Куда приехать? Прямо сейчас? А что это за адрес? А. Его… А где он? Уже уехал? Хорошо. Сейчас посмотрю, на чем туда можно добраться. Да какое такси. С ума, что ли, сошла? Платить она за меня будет! Какие проблемы доехать. А что с голосом? Больна или плачешь? Больна и плачешь?! Еду.

Денис сидел в кухне квартиры Артема и смотрел на Аню с тревогой и болью… На нем тонкие, какие-то самые дешевые джинсы, чистый голубой свитер, который он явно сам стирает: свитер весь в катышках, носки… Господи, что же это за носки, такие у метро продают за три рубля. На одном маленькая дырочка… И такой принц. Да кто и где такого видел. Эти очи, эти волосы волнами, этот нос, рот, уши, да заусенец на пальце у него не такой, как у обычных людей. Аня смотрела на Дениса и ревела от досады на себя. Этот парень настолько красив, нарочно не придумаешь, настолько умен, что она далеко не всегда его понимает, настолько любящий и добрый, что так не бывает, особенно с ней. С ней такого вообще не могло случиться. И случилось. А ей нужен Артем до спазмов в горле и груди — настоящих, а не «поставленных», — до умирания сердца. И хочет она всего лишь стать тряпкой у его порога. Больше ничего и не надо.

— Ты все же объясни, почему ты ревешь? — спрашивал Денис с таким беспокойством, как будто она ему жена-сестра-мать-дочь: все сразу. — Он тебя обидел? Может, ударил?

— Если бы, — усмехнулась наконец Аня. — Я даже не фотокарточка человека, которого он хотел убить из-за того, что тот женился на его бывшей жене. Я — не эта бывшая жена, которой он на фиг не нужен. Я всего лишь девка, которую он употребляет на ночь после ужина. Бить меня — это все равно что бить туалетную бумагу.

— Я уже давно понял, что ты страшно себя недооцениваешь, возможно, и в данном случае. Но что это за история? Какая фотокарточка? Кто кого хочет убить? Откуда ты это знаешь?

— Не хочет, а уже убили. Два года назад. Пять выстрелов в спину. Так убили нового мужа бывшей жены Артема Дины. Я убиралась в его кабинете. Там в одном ящике лежали старые бумаги, архивы. И фотография этого убитого Вадима, из личного дела, наверное. Она была разорвана на восемь кусочков! Артем разорвал, но не выбросил. Больше в его кабинет никто не входит. Уборщице это не надо — рвать и хранить кусочки. Он ничего не забывает. Ему нравилось, что он сначала просто уничтожил это лицо на фото. Потом вообще…

— Это не доказательство, Аня, — мягко сказал Денис.

— Это для тебя не доказательство. Ты никого так не ненавидел. Для меня доказательство. Я его знаю.

Рвать снимок человека, который не просто лично ему ничего плохого не сделал, — Вадим работал на него. А он берет только хороших работников.

— Но он увел у него жену?

— Да нет же! Артем сам с ней развелся. Как-то сказал, что его ограничивала любовь к ней. Лишала свободы. И ей вроде тоже свобода нужна была. А когда она влюбилась и вышла замуж, освободил ее опять. Навсегда. Он ее любит, ежу понятно. И ей жить не даст. Теперь доказательство?

— Строго говоря, нет, — ровно сказал Денис. — Но психологический рисунок очень серьезен. Я потрясен. Чем я могу тебе помочь?

— Ты на все ради меня пойдешь?

— Ты уже спрашивала. Да.

— Почему?

— Так люблю.

— А давай я тебя сейчас проверю, а? Ты же, кроме меня и книг, никого и ничего не видишь.

— Какой-то тест?

— Ну да.

Аня провела Дениса в кабинет Артема, подвела к столику с фотографиями, взяла портрет Дины, дала ему в руки.

— Это и есть Дина, первая жена Артема. Ты ее, конечно, не видел никогда, потому что у тебя телевизора нет. Она там торчит. Вот ты честный человек. Врать вообще не умеешь. Скажи мне правду про нее и меня.

Денис кивнул. Фотографию Дины рассматривал, как картину, чуть прищурив свои темно-синие, почти темные глаза. Осторожно, как музейную ценность, поставил ее на столик.

— Да. Удивительно красивая женщина. Ожившая статуэтка. Только это живая красавица, вышедшая из пены, для радости и любви. Мне очень жаль, что ее судьба складывается настолько несчастливо.

— Вот! Пожалел! А одноглазую горбунью ты бы так красиво не пожалел. В общем, тест закончен.

— Да нет. Ты не дослушала. Или забыла свое условие: сказать о ней и о тебе. О ней я сказал. О тебе. Ты — очень интересная и стильная девушка. Для меня — самая красивая, конечно. Но ты, в отличие от этой первой жены, не для украшения жизни, не для боя быков с другими мужиками за право ночи с тобой. Ты — для того, чтобы стать смыслом жизни до самой березки.

— Последнее не поняла. При чем тут березка?

— Это из одной книги. Речь о последней березке. На могиле. Того, который любил.

— Ой. — Аня не смогла удержать задрожавший подбородок. — Дэн, это очень страшно, то, что ты говоришь. Тебе восемнадцать лет! Это все пройдет!

— Нет. Но неважно. Так что надо сделать?

— Надо... Не сейчас, конечно. Мне просто нужно, чтобы ты это сказал. Еще раз. Если ничего не останется, если он меня растопчет из-за нее... Ты убьешь обоих? Теперь ты ее видел.

— Да.

— Ты же ее только что так жалел!

— И продолжаю жалеть, восхищаться ее красотой. Просто у строгой теоремы может быть только строгое решение. Условие теоремы моей жизни — это твое желание.

Глава 11

Вечером Александр привез Дину к ее дому. Поставил машину у ограды. Молчал. И она молчала, не выходила. Потом посмотрела на него почти виновато:

— Такой день тяжелый. Устала. Сижу, выдыхаю. У вас тепло.

Он серьезно кивнул.

— Дина, я не сказал вам ни слова по поводу вашей работы. Просто не нашел таких слов… Подождите, не охайте и не отбивайтесь от комплиментов. У меня их, в общем, и нет. Даже не скажу, что вы — выдающийся профессионал. Людей, которые работают на таком высоком уровне, много. Есть именно выдающиеся профессионалы. Которые из любой ситуации найдут блестящий выход, из всего-того, как говорится, конфетку сделают… У вас совсем другой случай. Может, он и не имеет прямого отношения к профессии. Вы могли бы быть таким, единственным, врачом, сестрой милосердия, актрисой… Вы гений эмоций. И нет тут тоже никакого комплимента, потому что это даже не ум, за который принято хвалить. Запись длилась полчаса. Я видел на этом свете, наверное, все, многое пропустил через сердце, попробовал на вкус. Это был и вкус крови. Сильные ощущения. Но я дрожал на этой банальной короткой записи. Забыл, что речь о моем деле, даже в слова не очень вникал. Это был гипноз. Эта страсть, эта ненависть и вера, эта смесь любви, жалости и жестокости… Невероятно. Ваш бывший супруг сделал самую верную ставку в своем деле. Непростой, кстати, он человек. Взгляд тяжелый.

— Вам так показалось? — из всего сказанного Александром Дину заинтересовало и насторожило лишь последнее. Ей слишком часто говорили всякие приятные слова, она не очень принимала это всерьез.

— Не показалось. Так и есть. Это очень властный, умный, наверняка активный, сильный и ревнивый человек.

— Нет, что вы. Артем не ревнивый. Вообще. Разве что в работе. Первенство никому не уступит.

— Забавно. Это характерно именно для женщин. Есть женщины, которые именно в этот самый серьезный мотив у мужчин не верят. Однажды на процессе моя подзащитная, муж которой убил собственного отца по подозрению в связи со своей женой, произнесла именно эту фразу: «Мой муж не ревнивый».

— Как-то странно. Почему вы сказали «мотив»? Мотив чего?

— Дина, я не знаю, о чем вы, но я просто употребил это слово вместо «причина», для меня это привычный термин. Вы говорили, у вас есть какие-то проблемы. Мы могли бы сейчас поговорить об этом? Не в машине, конечно.

— Боюсь, что только в машине, — виновато сказала Дина. — В это время Лорд ждет меня в прихожей. На незнакомого человека, тем более мужчину, он бросается на поражение. Это очень серьезно. Мне приходилось спасать электрика, закрыв собственным телом. Как мы оба уцелели, сама не знаю. Лорд в ярости и меня укусит, чтобы не мешала.

— То есть вы так и живете?!

— Ну, да. Кран отваливается. Я слесаря не вызываю. Сама что-то прикручиваю. Одной рукой держу, другой мою посуду.

— Но, Дина…

— У меня есть куча намордников, но, во-первых, они в комнате, во-вторых, я не буду на него надевать. Он — тяжело больная собака.

— Звучит отлично: тяжело больная собака, которая бросается на поражение…

— Это просто профессионализм, — улыбнулась Дина. — Он обученный. Когда надо, по его мнению, дать бой, забывает о поврежденном позвоночнике. Обучение и жестокое обращение. Он ведь в спокойном состоянии едва передвигается по квартире.

— Признает только вас?

— Он очень хорошо относился к Вадиму. Вадим — это мой второй муж, которого больше нет, — он его и спас. Вадим нес Лорда, я просто шла рядом. Лорд благороден и благодарен.

— Значит, такая ситуация. Сразу скажу, что я ненавижу агрессивных собак, особенно если они натасканы на человека. Слишком большая собака, какой является сенбернар — тоже хороша в одном случае: если между нами решетка. Но я пойду на это. Я войду в вашу квартиру. Просто вопрос нужно прояснить до конца. Пес, о котором вы говорите, и пес, которого вы так любите, — это разные животные. А любите вы настолько, что я плавлюсь в вашем взгляде, когда вы о нем говорите. Гений эмоций.

— Как вы на меня сейчас посмотрели… У вас такие глаза. Как у Лорда. Два темных колодца с отблеском небесных звезд.

— Ничего себе. Я дожил до комплимента века. Глаза, как у пса… Пошли?

Они поднялись на этаж, разговаривая уже о долгой зиме, о весне, которая вряд ли что-то хорошее принесет… На площадке Дина достала ключ, начала его поворачивать в скважине. И вдруг повернулась к Александру и сказала жалобно, как ребенок-сирота, оказавшийся в опасном, враждебном месте.

— У меня правило. Я никогда не вспоминаю, входя в квартиру… О том, что здесь убили Вадима. Пять выстрелов в спину. Он был у моих ног. Я хотела задержать его жизнь. Упала на колени, прижалась к спине. Губами чувствовала, глазами видела его кровь…

Она сама не поняла, как так произошло, но в тумане непролитых слез она стала сползать по входной двери. Так хорошо держалась в одиночестве и вдруг распалась из-за присутствия доброжелательного человека. Александр подхватил ее на руки, умудрился повернуть ключ в скважине, открыл ногой дверь, совершенно забыв о страшной собаке. И в прихожей минуты две удивленно смотрели друг на друга огромный, очень красивый пес и совершенно незнакомый ему мужчина, который к тому же держал на руках хозяйку. Они смотрели друг на друга действительно очень похожими глазами. Лорд перевел взгляд на Дину и произнес:

— Ур-ур-ур-ур… — мягко так, мелодично.

— Ох, — открыла Дина глаза, которые зажмурила, чтобы не видеть боль воспоминаний. — Деточка. Все хорошо. Я просто на минутку… упала. Сейчас ты будешь кушать. Да вы, кажется, познакомились? —

удивленно посмотрела она на Александра, который осторожно поставил ее на пол.

— То-то и оно, — сказал Александр. — Спроси женщину и поступи наоборот. На поражение! Да милейший пес. Разговаривает.

— Да, он разговаривает, — уже счастливо сказала Дина.

— И, знаете, если я хоть немного действительно похож на него, то это гораздо больший комплимент, чем можно было предположить.

Глава 12

Руководитель отдела по расследованию убийств Вячеслав Земцов приехал в небольшой ресторан «Зеленый дол» нового пафосного поселка в Подмосковье. Его группа там уже работала. Позвонил диспетчер:

— Выручайте, пожалуйста. Там резня всерьез, а я не могу найти полный наряд. Те на пикете, те на митинге, те на охране… Из поселка звонил нетрезвый участковый. Вячеслав Михайлович, только вы можете выручить.

— Ну почему вы всякий раз извиняетесь? У нас ведь договор с вашей службой о том, что я получаю первым информацию о серьезных происшествиях. Если мы не сможем, я скажу.

Слава послал ребят, сам завершил допрос задержанного, допечатал протокол и поехал в «Зеленый дол».

Природа, отличный пейзаж… Прямо Альпы. «Зеленый дол» оказался прелестным теремком, невдалеке светилась позолоченным куполом часовня... Лубок.

У входа его встретил заместитель Василий Кондратьев.

— Там картина маслом, — невозмутимо сообщил он. — Эта элита устроила резню по полной программе. Пока мы еще не разобрались, но по запаху чую: там и стреляли.

— Трупы есть?

— Тяжелых четверо. Один из них... да, похоже, жмурится. «Скорая» сейчас приедет.

— Одни мужики? Может, сходка криминальная?

— Слава! Это семейные пары пришли мирно посидеть. Дамы в вечерних платьях в пол. Когда мы приехали, драка продолжалась. На полу жертвы. Дамы задирали свои шлейфы и ругались отборным матом, как бандитские марухи. Какими по породе, похоже, и являются. Оказались законными женами тех мужей, которые и пришли вооруженными до зубов. Все собственники недвижимости поселка.

— Нормально. Вяжем эту элиту. Вместе с дамами. Будут свидетельствовать. Ну, жмурик, если это случилось, поедет в другое место. Если честно, я бы плюнул. Все равно к утру нам позвонят, чтобы всех отпустили. Без такой элиты день — это не день для государства. Но раз приехали, не пустыми же возвращаться.

Дальше их работу можно было назвать тусклым разгребанием человекоподобных муляжей. Ругаться они перестали, ножи побросали. Один человек оказался-таки покойником, его отнесли в «Скорую».

В другую машину отнесли раненых. К Славе подошел элегантный менеджер.

— Прошу прощения. Отвлеку вас на минуту. Я от имени владельца и коллектива. Мы надеемся на понимание. Никакой информации по поводу наших постоянных клиентов сообщить не можем. По простой причине: мы ничего не видели.

— Понятно, — сказал Слава. — Обойдемся. Не первый случай.

— Спасибо, — церемонно произнес менеджер.

Потом к Славе подплыла женщина в ярко-красном платье, декольтированном, кажется, ниже груди. Она поддерживала подол. На Славу смотрела, как на булыжник, о который нечаянно споткнулась.

— Меня не выпускают. Сказали, к вам обратиться.

— Правильно не выпускают. Следствию нужно восстановить картину происшедшего. Инцидент с летальным исходом и другими жертвами.

— Но я уже ни при чем.

— То есть?

— То есть это моего мужа увезли в морг.

— Мои соболезнования, но именно вы — и есть главная пострадавшая. Вероятный истец по делу.

— Нет. Никакого дела. Ничем не могу быть полезной. Я ничего не видела. Скажите, чтобы меня выпустили.

— Выпусти ее, — крикнул Слава сотруднику у выхода. — У нее все в порядке. Ее мужа убили.

Женщина быстро взглянула на него, проверяя, показалось ли ей презрение в его голосе. Не показалось. Она пожала плечами и спокойно пошла к выходу.

«Поганый день, — подумал Слава. — Сейчас они все начнут врать и путать картину. Потом окажется, что никто не имеет ни к кому претензий... Скучно, господа. Тысячу раз это было».

Он даже успел помечтать о том, как постарается все это быстро свернуть и поехать домой, выспаться, как раздался новый звонок диспетчера.

— Вячеслав Михайлович, опять я. Раз уж вы там. Вроде убийство примерно в километре от «Зеленого дола». Там маленькая деревня — Гусичи. Соседи позвонили. Одинокая женщина. Где-то днем к ней во двор въехала машина. Вышла тоже женщина... Долго никто не появлялся из дома. И только что соседи решились проверить... Хозяйка лежит на полу в изувеченном виде, может, убита. Кровь везде. А та, которая приехала, тоже лежала рядом. Когда соседи вошли, она встала. Целая. Убийца, выходит. Дала связать себе руки, запереть в кладовке.

— Странная история, — произнес Слава. — Сейчас отправлю ребят в отделение с этим табором, который пел и гулял, а сам поеду туда. Раз одна женщина, да еще дала себя связать...

Глава 13

Дина никогда не встречала собеседника, который умел бы так хорошо слушать. Говоришь с другим человеком, как с собой. Можно путаться, забывать, возвращаться, пропускать что-то... А он все понимает. Когда она закончила, посмотрела на Александра устало и безнадежно. Самой стало понятно, что речь всего лишь о психозе. Ее психозе. Ну что можно узнать через два года? Да и тогда вряд ли было возможно. Разве сейчас проводят нормальное следствие? Разве это вообще реально? Несколько убийств практически в каждой сводке новостей. Концов никогда не найдешь. Профессионалы уходят или их уходят… Нет, она лукавит с собой. Самое главное: она не хотела тогда ничего знать. А сейчас эта сумасшедшая мысль: будто именно Вадим ее посылает — что-то узнать, отомстить.

— Дина, — сказал Александр. — Вы проделали большую работу. Вы грамотно очертили круг возможных подозреваемых. Вы логично анализировали найденные свидетельства. Очень заметно, что вы жалеете о том, что затеяли это, но совершенно точно — вы не остановитесь. Такой человек. Будете мучиться и… только вперед. А теперь признайтесь — не мне, я пришел и ушел, — себе признайтесь в том, что вы пытаетесь расставить акценты так, чтобы избавить себя от слишком большой боли.

— Что вы имеете в виду?

— Вы практически уже назначили убийцу или заказчика убийства — Валерия Николаева, по письму действительно очень похоже, что это бандит с опытом. Мы найдем его, если он жив. Не вопрос. Он может быть виноват. Не знаю, реально ли сейчас это доказать, это нужно обсуждать со следователем, экспертом, и они есть у нас. Но он может быть не виноват. А вы к этому, мне кажется, не готовы. Вот вы в первую очередь поехали к Людмиле Арсеньевой, основания ее подозревать очень серьезны. Но вам очень не хочется, чтобы это была она, так?

— Да. После встречи с ней я была в ярости. У нее такое вызывающее поведение, она меня оскорбляла. Она очень похожа на человека, который совершил что-то ужасное… Но она действительно родила ребенка, и этого ребенка теперь действительно нет. Это ведь такое страшное несчастье. Быть причастной к ее травле…

— Даже если она сама убила этого ребенка? Ведь это возможно, раз нет нигде записи о смерти. Даже в этом случае вы готовы искать ей оправдание?

— Какая-то бумага у нее есть, она мне не показала. Зачем она его могла убить? — нервно спросила Дина.

— К сожалению, это очень распространенный случай в криминалистике. Месть бросившему мужчине. Пусть это момент депрессии, срыва, но так бывает.

— Я знаю на самом деле. Но для меня эта история оказалась невыносимой. Я решила дать Людмиле возможность забыть обо мне, самой поискать что-то другое… Да, я бежала от этого горя, не зная, о чем речь. Виновницей горя она считает меня. Только это я поняла.

— С этим разобрались, — кивнул Александр. — Можно продвинуться дальше. Ваш первый муж Артем. Эта шутка насчет Крупской, в мужа которой стреляли не из-за нее. Его стремление контролировать и опекать вас. Вы говорите, как нужного работника? Дина, вам же не пять лет. Любой, кто видит вас обоих с расстояния двух метров хотя бы, понимает: это порабощение. Он отказался от брака с вами, но держит вас в клетке. Создал себе иллюзию свободы, которая основана на том, что вы — в его клетке!

— Как ужасно вы говорите об Артеме! Вы видели его минут десять…

— Да хоть бы две. Ужасно? Вы хотите разобраться в убийстве близкого человека. Я — юрист. Это моя профессия — давать адекватную характеристику человеку, отвечать себе на вопрос: он мог или не мог. Ваш первый муж — собственник в степени патологии. Это не значит, что он очень плохой или очень хороший. Он просто тот человек, который мог убить соперника.

— Вадим не был его соперником. Артем сам его взял заведующим нашей редакции.

— Сам взял, сам развелся, сам покупает вам платья, сам… Все делает сам. Продолжает называть Галатеей, то есть и вас сделал сам… Дина, я просто вас готовлю к любым неожиданностям. Разумеется, Артем, скорее всего, ни при чем… Может, и Людмила в убийстве Вадима не виновата. Но они могут быть и при чем. Все придется принимать. Я бы легко защищал такого человека, **как** Артем. Он сложный, интересный, уверен, что владеет собой, а на самом деле может быть рабом чувства. Есть у меня такое ощущение.

— Я не могу… Не вынесу, — беспомощно сказала Дина.

— У меня предложение. Скажите себе сейчас, что вы завтра с утра, к примеру, забываете об идее расследования. И все. Разумеется, вы вернетесь к этому, но уже в более спокойном состоянии, имея в виду равноценность всех обстоятельств и… меня. Имея меня в качестве пажа, скажем так. Мой постоянный помощник, частный детектив Сергей Кольцов займется Валерием Николаевым. А вы… Вы тут собаку чем-то вкусным кормили. Для меня не осталось немножко?

— Ох, извините. Я не предложила даже чашки чаю. Совсем себя загнала в смятение. Да еще ваш процесс сегодня… У меня для нас, может, менее вкусная еда, чем для Лорда, но она вполне человеческая. Колбаса и сыр для бутербродов. Творог. Еще есть клубника. Я покупаю замороженную, размораживаю, ем со сметаной и сахаром, как мама делала.

Опять у нее глаза стали, как у заблудившейся сироты. Александр отвел взгляд. Тут тоже что-то больное… Всеми оставленная девочка с собакой. Клубника со сметаной…

Глава 14

Слава рассматривал дурацкий рисунок с павлинами на дешевой клеенке, которая покрывала стол деревенской кухни. Кругом грязь и алюминиевые подгорелые кастрюли. Нищета, запустение. Слава прятал свое изумление. Разумеется, он знал Людмилу Арсеньеву, владелицу Лавки восточных деликатесов и нескольких магазинов. Для холостяка в этих магазинах — рай. Чисто, красиво, отличный персонал, который всегда все объяснит и покажет, нормальные цены, и, главное, все это готовится дома хоть на плите, хоть на спиртовке за минуты. Вкуснятина. Можно нормально поесть, если не приглашать на ужин Кольцова.

Арсеньева — образец порядка, пунктуальности, ответственности. Никакого разухабистого хамства, как это бывает у теток, темным образом сорвавших куш и почувствовавших себя царицами морскими. Арсеньева — с достоинством, но держится скромно и сдержанно. Был в ее заведении всего один случай с поножовщиной. Она помогала разбираться, дала показания даже на постоянных клиентов и стала закрывать лавку на ночь, лишаясь самого большого дохода вообще-то.

У ее жертвы, которую очень осторожно собирали сейчас с пола, — сердце билось, но мелкие кости все разбиты, мягкие ткани растоптаны в такой степени, что врачам взять было не за что. Это безработная Райка Чибиряк, любительница выпить, занимающаяся чем угодно, но лишь тогда, когда ей не на что купить хлеба и водки. В деревне все с ней иногда имеют дело. Добираться отсюда даже до райцентра тяжело. Деревня бедная, машин нет. Райку просят присмотреть за больными, детьми, покормить скот, иногда посылают в райцентр за какими-то продуктами, чтобы сдачу — копейки — оставила себе. Она ничем не брезговала. Но работу, которую поручали, выполняла нормально. Домишко ее просматривается тут из всех окон. Всего-то жилых домов в деревне чуть больше двадцати. К Раисе не ходят собутыльники. К ней вообще почти никто не ходит и не приезжает. Потому на машину Арсеньевой, конечно, все и обратили внимание. Это довольно далеко от Москвы. Так рассказали односельчане. Что могло сюда привести такую гостью? Что их вообще может связывать? Что это за дикая выходка? Да, без психэкспертизы не обойдешься. Но она не объяснит, почему именно Раиса Чибиряк. И Людмила ничего не хочет объяснять.

Она просто торопит, чтобы ее арестовали поскорее. Устала, говорит. Ну, еще бы. Превратить человека в отбивную.

— Скоро поедем, — сказал ей Слава. — Пока немного потерпите. Не ближний свет. А мне придется сюда ездить, чтобы в чем-то разобраться. В том, о чем вы молчите.

— Не разберетесь. Просто не в чем. Нашло...

— Вы трезвая.

— Сегодня да. А вчера переночевала в тюрьме. Немного помяла ментов, пардон, коллег ваших. Выпила. Депрессия.

— Бывает, — кивнул Слава. — Подождите минут пятнадцать. Мне нужно позвонить.

Он вышел на террасу, позвонил в отдел. Вася был уже на месте. Пробил информацию.

— Да, Арсеньева задерживалась вчера за ДТП в пьяном виде. Сначала обвинялась в наезде на сотрудников полиции и избиении их. Заявления должны прилагаться, но не прилагаются. Забрали, конечно, по звонку. Продолжила, что ли?

— Да трезвая. И не ДТП. Вошла к деревенской женщине, изувечила так, что не знаю, довезут ли живой. Вряд ли. Так что мы имеем убийство, в лучшем случае покушение на убийство, но с доведением до инвалидности. Страшное зрелище. Это я тебе говорю. Не ошибусь.

— Да, понесло тетку. А я так люблю морепродукты, — задушевно сказал Вася.

— Все любят. Вася, с этими, из «Зеленого дола», справятся ребята и без тебя. Поищи, будь другом, во всех документах любую инфу на Арсеньеву. Пока, главное: нет ли у нее родственницы, к примеру, Раисы Чибиряк. Ну, и вокруг этой Раисы. Мы с мадам Деликатесы прибудем часа через два-три. А морепродукты могут спускать траурные флаги. По звонку теперь не получится. Это надолго.

В машине Людмила сидела рядом со Славой, ее «Лендкраузер» они оставили во дворе Раисы.

— Потом скажете, куда перегнать, — сказал Слава.

— Неважно. Пусть стоит. Как памятник мне. Так я убила Райку?

— Пока сердце бьется.

— Не достала его, значит, ботинком. Но интересно уже то, что оно есть.

— Ваши отношения, какой-то инцидент, ссора — это может быть для вас смягчающим обстоятельством.

— А я что, кого-то просила смягчать мои обстоятельства? Знать я ее не знаю. Заехала случайно во двор, воды попить. Спросила, как зовут, она сказала. Морда не понравилась. Ну, и того… Отметелила. Или убила. Уже неважно. Дело сделано.

Глава 15

Артем собирался на большую пресс-конференцию, посвященную правам человека. То есть пресса будет не только задавать вопросы, но и отвечать. Руководители популярных телеканалов, главные редакторы газет, ведущие журналисты. Артем хотел взять с собой Дину. Но это никогда не получается. Она даже рассмеялась:

— Артем, там будут споры и, фигурально выражаясь, драки на много часов. И мы оба точно знаем, что скажет каждый участник, я смотрела список. Ты там необходим, твое дело — представительствовать. А мне там делать совершенно нечего. Я всю эту повестку уложу по привычке в две минуты. С проблемами — пять. Это же мой предел. И на меня будут плохо и подозрительно смотреть люди, для которых словоговорение — это жизнь и деньги. Мне покой собаки дороже.

— Я так и думал, на всякий случай предложил. Ты, конечно, права по поводу самого разговора. Принесу тебе три цитаты, чтобы ты на них поплясала в передаче. Антон снимет несколько планов, на которых я буду выглядеть самым умным. Покой твоей собаки, конечно, дороже. Но я советую тебе подъехать к фуршету. Это не просто тусовка. Семенов покажет три своих фильма. Необъявленная премьера, чтобы не набежали нюхачи. Судя по темам, может быть очень сильно.

— Да, он отличный, цепкий, злой и глубокий документалист. Может, и подъеду. К тебе подходить не буду, сразу предупреждаю. Не обижайся, но ты же знаешь, что, если нас на таком большом сходняке профессиональных сплетников увидят вместе, завтра будем красоваться по всему Интернету с лживой информацией. Они опять вместе и все такое... Нам не нужно.

— Разумеется, — сказал Артем.

Он ушел с работы раньше, поехал домой переодеться. Ехал медленно, очень хотелось самому плюнуть на этот цирк. Права человека — это защита твоего вздоха и каждого шага. На данном этапе — пустой миф. И эта долгая болтовня, из которой ничего не вытекает. Но он не так свободен от условностей и протокола, как Дина. Ехал он, и настроение падало в смутную, лишнюю, алогичную тоску. В такт словам: «Нам не нужно». Да, ему удалось сделать из нее редкого профессионала, способного сказать все тремя словами. И это всегда верно. Им действительно не нужно. Только тошно почему-то...

Лишь когда он вошел в квартиру и физически наткнулся на Аню в прихожей, он вспомнил, что она все еще здесь. Болеет. Все тот же его халат: у нее же нет здесь своих вещей, — огромные шерстяные носки, бледное лицо, красный нос и тоскливые глаза. Да... Ужасная ошибка. Что на него нашло? Устроил у себя благотворительный стационар. Надо было, разумеется, собрать ее в кучу и отвезти в клинику. Во всем виновата эта его вечная спешка. Сейчас он как будто не в свой дом пришел. Мелькнула в раздражении мысль и о симуляции, которая может продлиться сколь угодно долго. Состояние-то хуже не становится. Лучше тоже.

Он, не здороваясь и не задавая вопросов, пошел сразу в гостиную к бару, выпил крошечную рюмку коньяка. Нужно найти позитивное решение. Он повернулся и увидел на пороге это несчастное чучело. Значит, Дина к нему на людях не подойдет? Чтобы не было снимков по Интернету? Ложной информации? Значит, им это не нужно? Без комментариев. Зато ему нужно для поднятия настроения и собственного самоуважения, чего тут скрывать, — пошутить над всеми. Хорошо так, чисто пошутить. Чтобы все было.

И сплетни, и снимки в Интернете, и... чтобы это видела и читала Дина.

— Аня, я еду на большую пресс-конференцию с интересным продолжением. Ты в состоянии составить мне компанию? Неохота там торчать одному.

— Я? С тобой?.. На пресс-конференцию? А как же... Я в состоянии, но...

— Да, — прервал Артем. — Видок у тебя такой, что можно непослушных детей пугать. Но еще есть время, да и меня будут в любом случае ждать. Я позвоню из машины в пару мест. Из тебя за сорок минут сделают человека. Одежду стилист тоже подберет.

Когда они вошли в большой зал, все действительно были на месте, операторы готовы. Не начинали явно из-за него. Артем подозвал, щелкнув пальцами, своего пресс-секретаря и поручил ему посадить в зале Аню. Сам пошел на сцену.

Аня была в черном костюме. Юбка до щиколоток, но из клиньев разной длины. В одном месте нога была открыта почти до колена. На талии и бедрах тесно облегающая. Сзади юбка откровенно и сексуально застегивалась на крупные пуговицы из голубоватого переливающегося перламутра. Жакет маленький, приталенный, очень короткий, несколько сантиметров ниже талии. Волосы подняты наверх и заколоты гребнем с узким кусочком вуали в мелких горошинках жемчуга. Лицо... Аня взглянула на себя в зеркало у визажиста и пропела про себя, как всегда, в минуты торжества: «...и любит девушку из Нагасаки». Таким незнакомым, красивым и загадочным ей показалось собственное лицо. Действительно похожа на японку с картин.

И все само как-то получилось. Ушла грусть-тоска. Испарились без следа неуверенность и робость. Ей ли робеть! Сколько голов повернулись в ее сторону и, самое главное, сколько объективов. Она села естественно, небрежно, на лице скрываемая пресыщенность сладкой жизнью и вниманием, немного надменности, а умело подведенные и накрашенные губы сами сложились в милостивый привет всем... Всем, кто на нее пялится! Давайте снимайте, вперед! Она здорово получится, это понятно. А дальше... Когда-то это происходит с каждой Золушкой.

Аня с умным видом слушала разговоры о правах человека, никто бы никогда не догадался, что она не слышит ни слова. Она смотрела с гордостью на Артема. Она не вникала и в то, что говорил он, но ей было видно, как он их всех строит, ставит на свои места. И эти места настолько ниже его места. Значит, и ее место выше всех. Она пришла с ним! Он этого захотел.

Потом в еще большем зале, где на столиках стояли напитки и закуски, на них с Артемом опять многие смотрели. Снимали и камерами, и фотоаппаратами, и даже телефонами. К ним подходили знакомые Артема, все выражали ей восхищение. Некоторые даже целовали руку. Артем, правда, кивал знакомым небрежно. Он не отрывал взгляда от большого экрана. Там показывали какие-то документальные кадры. Аня взглянула пару раз: стреляют, потные, залитые слезами несчастные лица... Зачем это здесь показывать? Здесь так хорошо. Здесь было так хорошо...

А потом это случилось. В зал вошла Дина. И не одна. С ней был крупный красивый мужчина. Они разговаривали, шли и смотрели на экран. Мужчина временами смотрел на Дину. Такими глазами, что Аня даже его пожалела. Еще один попался. И тут же возненавидела. «И его убьют», — вдруг мстительно подумала она. Хорошо, что Артем так увлечен этим ужасным фильмом, сейчас она скажет, что ей опять плохо, и они уедут домой. Домой! И она, такая красивая... Но тут Артем увидел Дину с мужчиной. И хрупкое счастье Ани разлетелось на части, разбилось вдребезги. Его обычно непроницаемое, самодовольное лицо... Оно вдруг стало жалким, старым, кажется, даже испуганным. Он не ожидал. И уже не смотрел ни кино, ни на знакомых, он и Аню больше не видел.

Они доехали домой на автопилоте, наверное, Артем был весь в своих мыслях, машину кидало из стороны в сторону, он ехал на красный свет... Доехали. Он и дома ее не заметил. Взял из бара бутылку виски и ушел к себе в кабинет. Первый раз она услышала, как там поворачивается ключ изнутри.

Аня сидела полночи, вжавшись в кресло, такая классная Золушка, бал которой закончился, наверное, навсегда. Она даже не плакала. Она вцепилась вдруг своими длинными пальцами с наклеенными ногтями в облитую лаком прическу и рвала ее, чтобы причинить себе физическую боль. «Не фиг было мечтать». Она поняла наконец, что выражение «рвать на себе волосы» — это никакое не выражение. Это такой способ занять глупую, опозоренную на весь свет голову.

Глава 16

Денис на рассвете поговорил с двумя дворниками-мигрантами, оставил свой телефон, и к вечеру ему позвонили. Сказали выйти в самый безлюдный уголок сквера. Денис достал с полки «Войну и мир», открыл на нужной странице и взял сумму, отложенную, чтобы заплатить за этот месяц за квартиру. Хозяева к нему относились нормально. Можно попросить, чтобы подождали. Где-нибудь подработает. Сунул все в карман. Вышел, даже не надев куртку. У назначенного места стояли у тополя старые, грязные, явно побывавшие в переделках «Жигули», из них вышел ему навстречу неприметный мужичок. Сделка состоялась быстро.

Дома Денис развернул тряпку, в которую был завернут травматический пистолет «Шаман». Не новый, конечно, потому Денису и подошел по цене. Но это то, что нужно. Самый мощный из травматов, подходят к нему разные патроны. Результат такой же, как и от боевого, если стреляющий знает анатомию. Денис знал все. Стрелять научился еще в школе. Конечно, кроме тира и соревнований по стрельбе, настоящего опыта не было. Но он в теории — не простак. А теория в любом деле — главный опыт. Он опять завернул пистолет в тряпку, аккуратно уложил на полку с журналами — между стопками. Затем стал задумчиво изучать книги на полке, где были медицина, криминалистика, патологоанатомия. Выбрал, как всегда, несколько, положил перед кроватью, включил настольную лампу на полу, устроился в своей обычной для чтения позе и выпал из действительности.

Через несколько часов спина у него затекла, глаза устали от плохого света. Денис встал, потянулся, легко сделал «мостик», походил на руках, как на ногах, потом у стены какое-то время стоял на голове, чуть касаясь стены пятками. Он всего добивался без долгих тренировок. Просто делал то, чего хотело уставшее тело. Он не догадывался, насколько совершеннее устроен физически, чем большинство людей на земле. А даже если бы ему это сообщили как достоверный факт, его бы это не очень заинтересовало. Ну, такой. Его заслуги в том нет.

Лечь спать нужно раньше. Завтра опять вставать на рассвете. Да и каждый день, пока не расплатится с долгом за квартиру. Если получится, нужно и маме послать не как обычно, а за… за сколько получится. Днем сходит в ближайший магазин, предложит себя для разгрузки товара. При мысли о магазине захотелось есть. На кухне его ждала печальная ситуация. Меньше половины бутылки молока, кусок лаваша, безвкусного и уже засыхающего. Мука плохая. Весь хлеб теперь такой. Если бы Денису нечего было делать, он бы изобрел отличную муку. Он бы многое придумал. И совершенно другую мобильную связь, и невиданного нового поколения Интернет. Мало кто знает, но огромная заслуга в изобретении мобильной связи и вай-фая принадлежит голливудской красавице Хеди Ламарр. Она и в кино снималась, заработала, между прочим, тридцать миллионов долларов, и шесть раз выходила замуж, и троих детей родила… И сделала гениальные изобретения. А у Дениса времени нет. Ему надо зарабатывать на квартиру и молоко, читать — еще столько непрочитанных книг, и служить Ане. Последнее требует его полностью. Ничего он ей пока хорошего не сделал. Но служить надо душой — круглосуточно, не переставая. Есть она рядом с ним или нет ее давно, никакой роли не играет.

Надежда на то, что у него в морозилке еще лежат пельмени, оказалась миражом. Да и так ничего. Проблема в количестве. Молоко Денис любил больше всего на свете. Это для него была и еда, и десерт, и лекарство. Простудится, выпьет теплого молока — через час здоров. Он выпил молоко, доел лаваш и решил, что завтра будет в магазине разгружать товар только за молоко. Оно сейчас долго стоит. Он забьет им этот маленький холодильник не просто советских времен, а что-то из времен военного коммунизма, если тогда были холодильники. Вряд ли, конечно. Но то, что этот кошмар еще что-то холодит, может сойти за техническое чудо. Это как говорящий покойник. Покойник...

Денис вернулся в комнату, подошел к полке, где между журналами лежал пистолет, не взял его, просто стоял и смотрел на эту полку. Если Аня пошлет его убивать людей, которых он даже не знает, он, разумеется, пойдет. Теперь он готов. Раз не знает людей, то его могут и не найти. Никак не выйдут на след. Могут и найти. Могут бить, пытать, спрашивать: «зачем?», «за что?».

Денис не сможет отвечать на тупые и бессмысленные вопросы. Возможно, кто-то это делает зачем-то и за что-то, наверняка так. Он сделает по причине, которую невозможно объяснить другим людям. Он уверен, что в свои восемнадцать лет выбрал главную ценность. И не в жизни. Эта ценность больше цены жизни. То яркое, светлое, безграничное, то, что освещает его душу только в присутствии Ани, — это она и есть, эта ценность. Для него встреча с Аней — неожиданность. Он с детства считал, что реальная жизнь ужасно проигрывает по сравнению с жизнью в книгах. И вообще не понимал, почему люди за нее так цепляются. У Дениса в другом городе осталась бедная мама, которой все давалось с таким трудом. Он ее помнит и видел только падающей с ног от усталости. Но она всегда ему успевала сказать перед сном, как он с его красотой и умом выйдет в люди. То есть она не считала, что они уже люди! Его это не поражало, а как-то подавляло, удручало. Он очень жалел и жалеет мать, просто всегда знал, что в те «люди», в которые она хочет, чтобы он вышел, он не пойдет. Он не будет торговать, воровать, предавать себя, пресмыкаясь перед кем-то, кто уже выбился в «люди». Ему ничего не нужно. Ничего, кроме того, что он мог иметь. Он никогда не хотел дорогую игрушку, потом дорогую одежду, потом машину. Его, наверное, единственного в школе никогда не дразнили и не презирали из-за того, что он был «бесплатник». Но и не любили, конечно. И одноклассники, и учителя просто не знали, как с ним обращаться. Ему все известно до того, как это начнут учить на уроках, красив, как языческий бог, делает что хочет. Захочет, соберет свои книги-тетради и уйдет с уроков. Захочет, пойдет на весь день в лес и будет там один смотреть на небо, слушать, что шепчут друг другу верхушки деревьев.

И была еще одна вещь. Когда у них у всех пришла пора полового созревания, он, конечно, получил опыт близости с женщиной. Тщательно скрывал от всех, но он вынес из него чувство брезгливости. Решил, что это был какой-то сбой, не та девушка, проверил себя еще пару раз... И понял, что женщина рядом ему не нужна. Он просто ее возненавидит через месяц. А в целом жизнь его устраивала. Никто ему не мешал быть самим собой. Общаться с книгами и природой. Он был приветлив и приятен с соседями, знакомыми, он никого не презирал, даже самых темных и тупых. Это, возможно, было хуже, чем презирать. Тень дерева интересовала его больше, чем другой человек. Ему бы никогда не пришло в голову назвать это одиночеством. Это просто его судьба.

И тут Аня! От других девушек она отличалась одним: его потрясением при взгляде на нее, при касании, при молчании, при любом разговоре. Совершенно не важно, что она знает, чего — нет, какой у нее характер, что она делает без него, не имеет значения даже ее внешность. Хотя он может ее объективно оценить: вполне эффектная внешность. И банальные слова «любовь — страсть» тоже не имеют никакого значения для Дениса. Для него важны другие слова: смысл, суть. Так получилось, что Аня выше всего остального на свете. Убить ради нее — это такая малость. За смысл. Для чего-то же он рожден. Потом, наверное, все кончится. Но ему достаточно того, что у него было с Аней. Она потом, наверное, будет о нем вспоминать.

Денис вошел в свою убогую ванную, тщательно тер жесткой мочалкой свое великолепное тело, лицо. Долго и правильно чистил дешевой пастой на старой щетке свои прекрасные зубы. Вернулся, обнаженным, быстро и крепко уснул.

А среди ночи ему приснился выстрел в сердце. В его сердце. Он целился из «Шамана» в прелестную женщину в маленьком купальнике. Она стояла, глядя куда-то мимо него, путались солнечные зайчики в ее волосах и ресницах… Денис нажал курок. А она вдруг прямо на него посмотрела. Глаза большие и карие. И пулю, летящую в его сердце, Денис увидел, почувствовал за миг до того, как упал. Дыхание прервалось.

Денис проснулся, включил лампу, посмотрел на свое тело. Оно блестело в тусклых лучах, как будто обсыпанное осколками зеркала или хрусталя. То был холодный пот. Смертный холодный пот.

Глава 17

С утра Слава Земцов ездил в деревню по соседству с Гусичами. Там обнаружился брат-близнец Раисы Чибиряк. Даже ее соседи ничего о нем не знали. Он никогда не приезжал, а людей, которые бы беседовали с Раисой о жизни, не нашлось.

Деревня — тоже близнец. Вымирающая. Еще есть дома, в которых дым из трубы. Печное отопление. Дом — один в один, такой же забор, калитка запирается на крючок. Только террасы нет, и дверь заперта изнутри на ключ. Слава очень долго колотил в дверь, стучал в окна. Он еще от калитки увидел лицо человека в одном из окон. Так что кто-то дома есть. Но не открывает. И может не открыть. Слава достал пистолет и откровенно, чтобы изнутри был виден предмет, но аккуратно постучал по стеклу рукояткой.

Магический способ. Дверь открылась. Перед Славой стоял хозяин. Среднего возраста мужчина, похожий на фотографию Раисы, неухоженный, сто лет не бритый. В щетине торчала кусками седина. Да и спортивный костюм с легендарными «трениками» местами уже поседел — на локтях, на коленях, под мышками. И запах… Это не водка. Это даже не самогон. Это кто-то в деревне гонит отраву из всего, что не пригодилось. Ну что же. Человек, значит, «теплый», разговор может и пойти.

Слава показал удостоверение, на которое хозяин не посмотрел. Тогда он представился.

— Меня можно называть Вячеславом, Славой, как вам удобно. Можем поговорить?

— Проходи. Я — Леха. Называли Хоттабычем.

— Не понял: это где вас так называли?

— В горячих точках. Ты не смотри, что я такой… Ребята бы рассказали, если бы были живы. Просто инвалидность после контузии сначала дали, потом сняли… Куски костей отрубали после ранений. А потом на комиссии: что, не выросли? А должны были… И сняли. Сам, сказали, пришел. Такой герой, блин.

Слава просмотрел, конечно, эту грустную биографию. Ну, сколько таких. Только не большая удача для него то, что Алексей Чибиряк — нетрезвый. Зря он понадеялся на разговорчивость. Теперь это ясно. Живет одиноко. Слушать воспоминания, наверное, придется. Да, в общем, и надо бы поговорить с человеком, но время…

Алексей приволок в свой так называемый зал бадью с волшебным напитком, от которого разило чем угодно. Меньше всего — алкоголем. Поставил стаканы. Пил один, не закусывал. Вспоминал, как погибали товарищи, как над ним пролетала смерть, плакал. Слава несколько раз спрашивал у него: «Вы знаете, что случилось с вашей сестрой?» Но он не слышал его!

Земцов уже решил уходить. Но вдруг Алексей произнес:

— Че ты долбишь одно и то же. Ну, знаю. А кто не знает в наших деревушках. Жива Райка-то?

— Даже не знаю, как сказать. Глубокая кома. Нет движения. Врачи настроены пессимистично. Ну, сотая доля процента.

— Столько Райке отпустили? Ну ниче. Щедро. Близняшки мы. Всю жизнь такое счастье одно на двоих мыкаем.

— Вы знаете Людмилу Арсеньеву, которая так поступила с вашей сестрой?

— Эта бизнеская вумен? Я похож на человека, который такую знает?

— Ваша сестра тоже не очень похожа на такого человека. Тем не менее произошло то, что произошло. И приехать к Раисе Чибиряк Людмила Арсеньева могла только сознательно, специально. Что бы она сейчас ни говорила.

— Не знаю. Я никуда не хожу. Райка людям прислуживает. Может, что украла у этой…

— Сестра вам говорила, что ходит убирать к Людмиле Арсеньевой или в ее лавку?

— Ниче она мне не говорила.

— Вы вообще встречались? Вас соседи Раисы никогда не видели.

— Она приезжала. Она — старшая сестра. На три минуты раньше выскочила.

Алексей налил своей бурды сразу в два стакана, оба легко опрокинул в себя. Слава попрощался.

Время, конечно, убитое. Он мчался в Москву, к делам, на предельной скорости. Но что-то крутилось в голове. Не просто что-то, а слово «близнецы». Одна судьба на двоих.

У кабинета его встретил эксперт Масленников. Вошли.

— Еще не оформил, Слава, решил тебе сразу рассказать. Время дорого. Жертва пока жива. Есть крошечная надежда, что выживет и когда-то заговорит… Поработал я с Арсеньевой. Пригласил и коллегу из Сербского. Разумеется, вменяема. Знаешь, скажу то, чего не будет в заключении. Слишком вменяема. Возможна любая сознательная интрига, самая жестокая и чудовищная мистификация. Ты смотрел это видео с телефона, которое записал прохожий во время ее пьяного ДТП?

— Да, Вася скачал из ютуба.

— Как тебе?

— Наглая выходка.

— Да. Показательное выступление. И ничего не получилось. Ее вытащили, она никого о том не просила.

— И она на следующий день едет без мотива, из хулиганских побуждений истязать никому по сути не нужную женщину. Я так и не выяснил, откуда она ее знает. Брат-близнец не в курсе.

— Откуда она ее знает — это скоро выяснится, конечно. Но даже если Раиса умрет, это будет «по неосторожности». Она ведь ее просто избивала. Будет адвокат — «аффект, депрессия, нашло», как она сама говорит.

— Но тут даже условным все равно не пахнет.

— Не пахнет. Но больше, чем пятерку, ей за Раису не дадут. Такие нечаянные убийства в каждом суде ежедневно.

— Если вы думаете о том, о чем и я, то мы конгениальны.

— Скорее всего — да. Мы такие. Нарываются на меньший срок, чтобы избежать большего. Арсеньева — первая жена известного журналиста Вадима Долинского, продуманно и цинично убитого. Сильно резонансное, социально значимое преступление. Два года назад, правда, это было, но сейчас мог быть толчок.

— И я вам даже расскажу, что это за толчок. Мой друг Сергей Кольцов, пострел, который везде поспел, собственно, уже как-то умудрился получить жену Долинского в клиентки. Говорит, правда, что еще не клиентка. Ему соврать как два пальца об асфальт... Но он работает с адвокатом Гродским, который и сосватал ему это дело. Так вот, Дина Марсель — это рабочий псевдоним ее и ее бывшего мужа, владельца канала, — решила вдруг сама расследовать убийство мужа. И первым делом приехала к Людмиле Арсеньевой. У той был ребенок от Долинского, потом он вроде умер. За несколько дней до убийства Долинского. Есть письмо об этом от нее на его почту. На следующий день после визита Дины Арсеньева устроила демонстративное ДТП. Выйдя из-под ареста, сразу поехала месить Раису Чибиряк. Скрыться и не подумала. Сдалась с удовольствием.

— Ребенок? Он бросил ее ради другой, а ребенок его умер... Какой мотив! Какой жесточайший мотив!

Глава 18

Александр еще не видел Дину такой позитивно вдохновенной. Она говорила о фильмах документалиста Семенова. Очень редко люди одного цеха способны на такое самозабвенное восхищение чужой работой. В самой хвалебной рецензии часто прячется между двумя однозначными словами какое-то очень неоднозначное. Оно западает в сознание, все в результате сводит на нет. Дина не завистлива и не ревнива. А такие люди часто близоруки в отношении других людей. Вот Дина не верит в ревность Артема. Она считает, что они все решили разводом. А это настолько очевидное заблуждение.

— Какой отличный, готовый текст вы сейчас произнесли, — сказал Александр. — Надо бы написать рецензию.

— Я напишу! — с готовностью ответила Дина. — Я еще в университете писала критические обзоры, рецензии. Мне и сейчас звонят. Все думают, у меня много свободного времени: передача всего пять минут. Но это такой продуманный проект Артема на самом деле. Ну, вы же видели. Временные рамки невероятно напрягают мозг, это от меня не зависит, уровень требуется на вершине зрительских эмоций. То есть у меня нервы сначала, как струны, потом рвутся в клочья… Я обессилена после записи. Но утром я позвоню в одну или даже две газеты, заявлю рецензии. Если заявлю, то обязательно сделаю.

— Проект Артема? — улыбнулся Александр. — Найти бы мне свою куклу Суок, у которой рвались бы нервы в клочья, пока я буду пить кофе… Не надо обижаться. Это шутка. Вы видели на фуршете Артема? Он был с дамой.

— Да, мельком. Мы договорились, что я не буду подходить, чтобы потом не сплетничали и никто не фотографировал нас вместе. А дама — это Аня. Он с ней встречается. Симпатичная девушка, но мы друг другу не представлены. Вы мне по-прежнему не верите, но мы с Артемом ведем совершенно параллельные существования. Нас ничего не связывает, кроме работы.

— Почему не верю? Я этого не говорил. Дина, мы там не ели-не пили. Три часа! Вы даже отказались присесть. Мы стояли и смотрели фильмы. У меня выше локтя должны быть синяки, так сжимали вы мою руку… Надеюсь, синяки есть, и надолго. Вы дрожали. Я не мог шевельнуться, чтобы не разрушить ваш мир эмоций.

— Да что вы! Я так вцепилась? Почему вы сказали, что надеетесь на синяки? Пойдете снимать побои?

— Не совсем. Память. Ваши пальчики. — Он поцеловал ее пальцы. — А сказал я это к тому, что, может, мы выпьем чаю с Лордом и чего-нибудь поедим? Раз я ему в качестве еды не подошел.

— Да, конечно. Я буду очень рада. Действительно, волнение было таким сильным, мне не хочется, чтобы вы уезжали. Мы могли бы обсудить рецензии.

— А можем и не обсуждать. Дина, вы все равно напишете только то, что захотите. И это будет лучше, чем мой рациональный разбор. Давайте без повестки дня? Тем более уже почти ночь.

— Да, конечно. И Лорд… Я немного беспокоюсь. У него раз на раз не приходится.

— Посмотрим.

В квартире Дины Александр вновь оказался в заколдованном и тайном убежище королевы, сбежавшей с престола. Дина просто сбросила в прихожей туфли на каблуке, завязала над коленями юбку в мягких складках, между которыми пряталось откровенно драгоценное кружево. Короче, скромная и безумно дорогая вещь, как и белая блузка в черную полоску с воланом вокруг шеи. «Спецодежда» Артема, конечно. И в таком виде Дина начала хлопотать вокруг Лорда, который смотрел только на нее: «Почему ты меня оставила?» Уход как за огромным больным ребенком. Тряпки, пеленки, кормление... Александр смотрел сосредоточенно, почти сурово. Это правильно, то, что она так живет? Почему у нее нет детей? Ее так любили оба мужа. Но ведь у Галатеи тоже не было детей. Как и у куклы Суок. Опасная, жестокая работа, абсолютное одиночество после нее, не считая этой собаки... Которая и есть ее большая любовь. И такая женщина! С ума сойти.

Значит, Аня, девушка Артема, «симпатичная»? Эта девица даже оскалилась от ненависти, глядя на Дину. А Артем, у которого «параллельное существование», — он смотрел на них, как на свой кошмар, его лицо помертвело, сжалось, застыло зловещей маской. Редко увидишь такие изменения выражений без всяких на то причин. А Дина ничего не заметила. Она смотрела кино. Она не заметила своих откровенных врагов. Более того, она считает их хорошими и посторонними, просто знакомыми людьми.

Дошло дело и до ужина. Все было уже убрано, Дина пришла в домашнем облегающем синем платье и поставила на стол в гостиной, конечно, подносы с бутербродами и тарелочки с салатами. У Лорда ужин был явно сложнее, плотнее и питательнее. Да и вкуснее, судя по запаху.

— У меня есть красное вино, — сказала Дина. — Вроде хорошее. Купила в какой-то упадок сил. Прочитала, что это полезно от малокровия. И тут же забыла о нем. Хотите?

— Ну да. Повод выпить на брудершафт и перейти на «ты».

— Давайте перейдем. Если получится.

Они выпили по бокалу, коснулись традиционно друг друга губами перед бокалами.

— Скажи мне — ты, — приказал Александр.

— Ты, — выдохнула Дина так нежно, что его качнуло.

Часа в три ночи он вышел на балкон, закурил. Посмотрел в бесстыжий и глупый блин полнолуния.

«Подглядывала? — мысленно спросил он у луны. — Тебе повезло. Это было действительно интересно».

В зловещий час волка, в ночь, которая сводит с ума маньяков и убийц, опытный, уверенный мужчина признался себе в том, что главного он не знал. Он не знал, как тосковали его ладони по женской плоти, прекрасной и желанной до звериного стона и детского всхлипа. Он не знал, что прошлое бессильно, а будущее не имеет значения в миг, когда человек получает то, о чем не мечтал. Полет в мучительное блаженство, который, конечно, возможен только с одной женщиной на свете. Александр был потрясен тем, что он сумел ее встретить.

Он не был виноват перед памятью Нины. Жены его судьбы. От такой сильной и страстной близости их берегла не только ее боль. В любом случае это были совсем другие отношения: спокойные, доверительные. С ума он никогда не сходил по ней. Это был самый родной человек, ее боль и преодоления были его болью и преодолениями. Это делало ее не сравнимой ни с кем. Другие женщины, разумеется, были. Каждая из них стоила ровно столько времени или денег, сколько он на нее тратил.

— Дина, — прошептал он. — Звезда моя. Капризная, упрямая, неисправимая и… не моя. Мне с этой историей не справиться. Вокруг тебя — дыхание драконов. Не почувствовать этого можешь лишь ты сама. Дефект гения эмоций.

Глава 19

Людмила прямо, неподвижно, с совершенно непроницаемым лицом сидела перед столом Вячеслава Земцова. Она не поздоровалась, входя. Не из-за протеста или неприязни. Просто у них другая ситуация. Они, в общем, не расстаются: в этом она кабинете или в камере, но прощальный воздушный поцелуй ей посылать этим стенам не приходится. Стало быть, и здороваться нелепо. Частный детектив Сергей Кольцов, сидевший на подоконнике, привлек внимание Людмилы не больше, чем стул, на который она села. Какая ей разница, сколько их и где они сидят.

Слава не начинал разговор. Он демонстративно и неспешно читал акт психиатрической экспертизы

Арсеньевой. Потом положил листок в папку, аккуратно ее завязал.

— Это заключение по результатам вашей психэкспертизы, вы, наверное, поняли, Арсеньева.

— Ну?

— Интересно, — заметил Земцов. — Вы у нас три дня. До этого вас все знали как приличную, уважаемую даму. Ранее не привлекались, если не считать странного ДТП. А лексикон и повадки как у опытной зэчки, извините. Не самое разумное поведение. Разумно — сотрудничать со следствием. Это очень сказывается на решении суда, ведь вы наверняка в курсе.

— Можно мне добавить, Слава? — лениво произнес с подоконника Кольцов. — Поправочка. Казалось бы, не самое разумное поведение. Ключевое слово «казалось». Иногда оно самое разумное и есть, такое поведение.

Людмила не повернула головы в его сторону, но вопросительно взглянула на Земцова.

— Это мой помощник, частный детектив Сергей Кольцов. Официально оформлен для участия в расследовании. Не представил вам раньше, поскольку вы ни с кем не здороваетесь, да вроде бы и не заметили его. Вот мое распоряжение о привлечении Кольцова. Можете ознакомиться.

— Я обошлась бы вообще без представлений, а бумаги ваши меня как-то не волнуют. Не поняла, что там ему «казалось», но объяснять не надо. Бабушка говорила, что креститься надо, когда кажется. Так что там в заключении?

— А как вы думаете?

— Зачем мне сейчас думать? — искренне рассмеялась Людмила. — Вот мне в голову залезли, принесли вам бумагу. Вы мне сейчас и расскажете, о чем я думаю.

— Не настолько у нас здорово поставлено. Но кое-что есть, конечно. Вы абсолютно вменяемый человек, Арсеньева. О чем говорят и ваши медицинские документы с диспансеризаций. По роду деятельности обязаны проверяться и в психдиспансере иногда. Отличная нервная система. Во всех характеристиках главное качество «выдержанная». Такой вас знают сослуживцы и соседи.

— И к чему вы все это собирали и мне рассказываете? Выдержанным добавляют срок, что ли?

— Опять передергиваете. Я к тому, что вы даете исключительно ложные показания. А это действительно влияет на срок. Бывает у вас депрессия или нет, но до двух последних выходок вы не срывались. Никто не вспомнил даже случая, когда бы вы повышали голос. «Нашло» так сильно, что вы поехали не на работу, где вас ждали, а в совершенно противоположную сторону, в глухую деревню, зашли в чужой дом и избили до полусмерти незнакомую женщину — это не проходит. Настолько не проходит, что вот Сергею пришлось в спешном порядке поискать правду. И правда в том, что вы знаете Раису Чибиряк. Родилась у вас три года назад дочка Виктория Вадимовна Арсеньева. У вас были послеродовые проблемы, высокая температура, пропало молоко. Это все вот тут, в карте женской консультации. Там вам порекомендовали кормилицу-няньку. Полину Васильевну Серову. Она — многодетная мать, свой грудной, потому так подрабатывала. Приезжала со своим ребенком. Но ничего, кроме ухода за детьми, не делала по дому. Вот ее адрес, телефон, но вам это уже не нужно, как и все остальное. Короче, Полина Серова показала, что вы попросили ее найти человека для генеральной уборки. Она привезла к вам женщину, которая убирала у дачников в ее поселке. Это была Раиса Чибиряк. Вспоминаете эти факты и этих людей?

Людмила встала, отшвырнула свой стул ногой. Произнесла тихо и почти спокойным голосом следующее:

— Вы куда полезли, грязные мусора? Мои карты. Моя дочка... Не нравится то, что я говорю, — все! Больше ни слова не скажу. Но себя изувечу так, что ты, подонок, сядешь за пытки. Как я это делаю, видел по Райке. Юристы у меня хорошие. И пока никто не знает, что я здесь. Значит, узнают. Зови вертухаев. Пусть ведут в камеру, а то я сейчас покажу, какая я вменяемая.

Слава нажал кнопку, вошел конвоир, Людмила сложила руки за спиной, пошла к выходу. На пороге остановилась:

— Шлюху эту тоже нашли? Или она вас?

Тон был вызывающий, а глаза смотрели по очереди на лица Славы и Сергея с напряжением и болью. Они не отвечали. Держали паузу.

— Ах, вы так... Хорошо, спрошу, как положено. Я, наверное, должна это знать по закону. Дина Марсель, журналистка, к которой ушел мой муж и отец моей Виты, уже накатала на меня донос? Или сразу по телевизору рассказала, какая я преступница? Райку Чибиряк красоты лишила...

— Нет, — коротко и непонятно ответил Земцов. — Идите, Арсеньева. Если вам понадобится медицинская помощь, вам пришлют врача с успокоительным. Но мой совет: не стоит больше симулировать безумие. Грубо говоря, косить под невменяемую. Уже не прокатило. Уведите ее.

Глава 20

Артем стоял в кабинете у окна и смотрел, как у ворот остановилась машина и из нее вышла Дина. Она не любит такси и не ездит на попутках. Или на общественном транспорте, или — очень редко — за рулем. Но дело не в этом. Не в том, что этот адвокат наверняка подвез ее. Утром. Она — свободная женщина, вдова.

Утром снег вдруг обернулся дождем. Гололед. Дорожка к входу в редакцию блестела. Дина панически боится упасть в гололед. Из-за собаки, которая дома одна. Не все в Москве добираются домой целыми. И вот она осторожно идет, как хрустальная балерина. На ней брюки стретч, сапожки с опушкой и короткое, до середины бедер пальто-жакет бордового цвета, затянутое на талии широким поясом, низ расклешенный. Выглядит, как будто куплено вчера. А на самом деле Артем привез ей это пальто из Парижа, когда они были мужем и женой… Вещи у нее вообще не теряют вида. Да и она сама. То есть на улице проливной дождь, а она не в своей жуткой куртке с капюшоном, которая именно в такую погоду имеет смысл. Ей ведь записываться… Волосы совершенно мокрые, струи дождя стекают с лица на открытую шею. У этого пальто застежка начинается на груди. Французы... Артем потому и купил тогда: пальто откровенно сексуальное, даже интимное. Да и не в этом дело, что не в куртке.

Дело в том, что Дина не смотрит, как обычно, под ноги. Она идет по наледи, аккуратно переставляя свои ножки, будто медленно танцуя. А лицо... Лицо такое яркое, что Артем засомневался: неужели косметика? Сама красилась? Дома, перед записью? Ее ждет визажист. И она подставляет лицо дождю, а рот так вызывающе расцвел в этом моросящем сером тумане... Он медленно пошел ей навстречу. Она была уже в холле, двумя ладонями то ли вытирала лицо, то ли гладила его. Увидела его, рассмеялась:

— Посмотри на меня. Там такое творится. У меня, случайно, не вырос хвост, как у русалки?

— Он не вырос, Дина, — спокойно ответил Артем. — Потому что ты с ним родилась. Он есть по умолчанию. Видят избранные. Я бы так тебя и снимал.

— Нет, — подумав, сказала Дина. — Нельзя. Нельзя показывать людям раздетое лицо. Оно говорит то, что человек не хочет. Только так, по умолчанию, для избранных. — Она опять рассмеялась. — Я побежала в сушку и краситься. Пока.

Он смотрел ей вслед. Косметики нет и в помине. Это другое. Мужчина знает, что это такое. Тот мужчина, которому хоть раз в жизни так повезло — сделать женщину за ночь счастливой. Пусть всего лишь на одно утро. То, что произошло между Диной и этим человеком в эту ночь, катастрофически меняет его, Артема, жизнь. Она сейчас может ускользнуть, как русалка. А ведь он сделал все, чтобы ее плен был для нее комфортным. Только он знает, что именно банальный комфорт ей был не нужен. В своем аскетизме она имела иллюзию свободы. Особенно тогда, когда Артем сам взял на работу мужчину, совершенно точно зная, что они с Диной будут вместе. И мало что изменилось. Вадим — не соперник. Он все же был пешкой в конструкции Артема. Пешка — сегодня есть, завтра — нет. А этот адвокат... Ни в какой ситуации Артем не хотел бы иметь дело с таким типом. Артем непобедим, если с поля убирать равных по силе игроков. Их в принципе мало по жизни. То есть задача не сложная. А уж тех, кто сильнее, — это надо как-то решать. Эта проклятая харизма, которой Артем был напрочь лишен, заменив властным напором, — она ненавистна Артему. Короче, они не просто провели вместе ночь. Рабыня взяла и поменяла хозяина. Хозяина эмоций, сердца, ума. Вадиму это было не под силу. Этому — да. Если бы ненависть могла испепелить, адвокат сейчас бы лежал на дороге головешкой. А если у них это не на одну ночь, не на неделю, то и жизнь Дины... Она становится взрывчаткой под жизнью Артема.

Он поднялся к своему кабинету, в приемной стоял незнакомый мужчина, высокий блондин с синими глазами. Секретарша растерянно сказала:

— Артем Витальевич, к вам частный детектив Сергей Кольцов. Вы примете?

— А что, их можно не принимать? — радушно улыбнулся Артем. — Прошу вас. — Он распахнул дверь кабинета.

Глава 21

В кабинете Сергей спросил невинно:

— Я не очень вам помешал? Так получилось: вопрос достаточно срочный.

— Вы у меня в кабинете, — насмешливо посмотрел на него Артем. — Рабочий день, утро. Я должен смотреть запись важной передачи, дальше тоже все по минутам. Это нужно объяснять? Просто у вас своя работа, потому я вас слушаю.

— Спасибо, — кротко сказал Сергей, с удовольствием устраиваясь в темно-зеленом кресле — вроде бы деловом, но в нем хоть спи, хоть вальс танцуй. Бывают же такие удобные вещи. — Я таким образом хотел извиниться за то, что приехал без звонка.

— А почему вы приехали без звонка? — с интересом спросил Артем.

— Скажу-ка я правду, — честно посмотрел ему в глаза Сергей. — Дурная привычка. Вызванная, впрочем, дурным опытом. Понимаете, звоню, к примеру, такому же уважаемому и солидному, как вы, человеку слова, так сказать, договариваемся железно. Приезжаю с точностью до секунды. А его срочно вызвали типа к начальству. Будет ли в этот день — неизвестно. Родина позвала. Как-то так.

— Понял, — сказал Артем. — Я так и подумал. То, что менее уважаемые люди, чем я, называют ментовскими штучками. У вас получилось. Меня словили. Можете задавать свой вопрос. Но запись я буду смотреть. И это то, что является до эфира редакционной тайной. Даже если речь пойдет о погоде. То есть без всякого выноса на публику. Заметьте, я не прошу вас ждать в приемной. Там, впрочем, тоже монитор.

— О чем вы, — удивился Сергей. — Я как раз ни смотреть, ни слушать не буду. О выносе — даже смешно. Я известен как могила редакционных и прочих тайн.

Артем посмотрел на него почти весело. Парень увлекается клоунадой. Скучно не будет. Он включил монитор на студию, там шла подготовка, выжидающе уставился на Кольцова.

— Валерий Николаев, — невыразительно произнес Сергей. — Что вы можете сказать об этом человеке?

Артем ответил после продолжительной паузы:

— О каком человеке? У меня только в телефонных контактах людей с такими именем-фамилией под порядковыми номерами немало. Редактор у нас есть Валерий Николаев. Водитель есть Валерий Николаев. Кто вас интересует?

— Ну да. Как я не сообразил. Я тоже встретился с фактом большого количества полных тезок. Я о том Валерии Аркадьевиче Николаеве, который был одним из спонсоров вашего канала, по крайней мере, два года назад, более поздней информации я не нашел. И еще он с Вадимом Долинским, покойным, были соучредителями сложной такой структуры, связанной с интеллектуальной собственностью. Только название менялось раз пять. Среди акционеров люди заметные, в том числе отцы города, в том числе вы…

— Ах, Валера. Ну, вы не можете не знать, что той структуры не просто нет.

— Да, не просто. На ее месте уголовное дело. Все повесили на формального руководителя, того, который им стал после Долинского. Дали семь лет. Мошенничество без корыстного мотива. Не нашли выведенных денег. Но они выведены.

— Полагаю, что так — выведены, — хмыкнул Артем. — Да и Валера...

— И Валера в Кельне проживает. Российским гражданином остался.

— Вы ради этого отнимаете у меня время? Поговорить о биографии Валеры Николаева? Достаточно криминального элемента, что вам, наверное, ближе. Если продолжаете искать те деньги, то я не ворую. Легко проверить. Вадим — сто процентов — тоже не воровал. Валера... Наверняка да. И что?

— Я не ищу деньги. Я ищу убийцу Вадима Долинского.

— Ну, что ж. Это оперативно, — сказал Артем с откровенной издевкой. — Всего-то два года прошло. Поищите, как пишут в детективах, улики. Волоски там, следы ботинок, отпечатки пальцев... Извините, нам придется прерваться минут на двадцать. Началась запись. Позвоню секретарю, чтобы вам принесли кофе.

Сергей пил кофе и, как обещал, почти не смотрел на монитор. Там Дина Марсель рассказывала об очередных сиротах, очередных насильниках и садистах, очередных покровителях во власти... Да, он поймал ее верный вывод. Речь именно о торговле детьми. Остановить ее нет возможности. Такой доходный бизнес. И никто не скрывается. Кого-то, возможно, возьмут или взяли, кто-то для виду посидит пару лет после этой передачи. Тот, на ком вся вина на самом деле, будет только обличать, весь в белом. Он олигарх — тот, кто обличает. Он же — один из крышевателей системы. Лечится данная социальная болезнь, как известно, только гильотиной. Но пока никто не позволит назвать это официально системой или социальной болезнью. Вот разве что Дина Марсель. Есть ли в том смысл? В том, что она будит чувства добрые и расставляет по душам, как букеты, гроздья гнева? Это же не те души. Ее слушают люди, которые могут только страдать.

Мелькнула, конечно, не в первый раз мысль о том, что мужа на ее глазах так чудовищно убили именно из-за этих передач. Проще всего стрелять во дворе. Киллеры обычно так и поступают. А не проходят в подъезд под видеокамерой, на которой вроде бы не осталось четкого изображения. По тем, старым, архивным материалам. Не исключено, что так и было. Они часто бракованные изначально, никогда не меняются. Не исключено, что это был акт устрашения именно ее. Она открыла дверь и увидела убитого мужа...

Сергей услышал, что Дина прощается с телезрителями, посмотрел на Артема. Ой-ой-ой... Этот крутой мужик... Не по себе ему очень — это раз. Он обо всем забыл и ничего, кроме нее, не видит — это два. Артем поймал его взгляд.

— Извините, что задержал. Работа. Сейчас совещание. Мы можем закончить нашу беседу, не слишком продуктивную? Рассказывали о Валере мне главным образом вы. Зачем — я не понял.

— Да, иногда затягиваю преамбулу. Но надо было убедиться в том, что вы понимаете, о ком речь.

А требуется всего лишь объяснить несколько ваших электронных писем, отправленных Валерию Николаеву. Там по одному слову. «Дина» — первое. «Да» — второе.

— Не помню, конечно. Видимо, я отвечал. А почему, собственно, я должен отчитываться по поводу своей личной переписки?

— Это было за неделю до убийства Долинского. И это не ответы. Он вам не писал. Оба письма в один день. Еще через три дня Николаев написал письмо Долинскому с откровенной угрозой.

— Вы с ума сошли! Я не отвечаю за письма и поступки этого бандита. Привязывать меня к этой истории… Николаев был нашим спонсором, в том числе передачи, которую ведет Дина. Он представлял ее передачу на несколько конкурсов. Она побеждала, он на это влиял. Это могут и значить те письма. Я был акционером. Общаюсь с людьми, как правило, коротко. Я пишу иногда на совещании, когда не могу позвонить. Все, господин сыщик, ваше время истекло. В следующий раз, если возникнет желание, — звонок минимум за сутки. Разговор с моими юристами.

— Честь имею, — простился Сергей.

Часть третья

ВПЕРЕД

Хоть разбейся, хоть умри,—
Не найти верней ответа.

Булат Окуджава

Глава 1

Солнцу пока было не под силу победить союз льда и снега. Но оно с детским восторгом заливало теплыми лучами террасу Александра, деревянный пол был почти горячим. Александр сел на корточки рядом с Лордом, густой мех которого тоже стал горячим.

— А давай попробуем, дружище. Я знаю, что ты боишься входной двери. И ты давал мне понять, что на любую мою попытку тебя вытащить на улицу я отвечу. Но ты не знаешь, что там нет ни плохих людей, ни лифта. Ты не видел ничего, потому что привезли тебя под наркозом. Такой ты зверь. А я рискну, пожалуй.

Лорд посмотрел на него исподлобья и грозно зарычал. Он предупреждает один раз, как известно. Александр глубоко вздохнул, затем влез в ватник, непробиваемые перчатки, сапоги, которые собаке — никакой — точно не прокусить. Лорд дал надеть на себя кожаную шлейку с крепким поводком, но встать и не подумал. Он еще раз в порядке исключения продемонстрировал ярость. Александр невольно отшатнулся.

— Старик, здорово получается. Реально страшно. Но отступать некуда. Впереди лето. И тебе должно быть в нем хорошо. Ты просто об этом не знаешь.

Он просунул руку под шлейку на спине пса, поднял его немного, а дальше… Да, был бой, как Лорд и обещал. Даже вечный ватник из непромокаемой и нервущейся ткани провис местами лохмотьями. Александр только берег лицо. Оказалось, что и перчатки не из брони, да и сапоги… Но они все же оказались на проталине у дома. Там, рядом со снегом лезла уже первая сумасшедшая травка целоваться с солнцем, пахло весной. Лорд полежал, огляделся, потом перевел на Александра такие потрясенные, огромные глаза.

— Просто гулять, да? Не убивать меня, не мучить, не делать мне больно?

— Гулять, — кивнул Александр, вытирая пот со лба. — Ну ты выдал. Мне было бы легче принести сюда троллейбус с людьми.

Когда во двор вошла Дина, она сначала ничего не поняла. Просто не поверила своим глазам. Лорд медленно и тяжело, но целенаправленно топал рядом с Александром, который держал поводок и временами помогал ему нести больной позвоночник, поддерживая за шлейку. Из кустов аллеи на безопасном расстоянии торчала любопытная бородатая мордочка Кляксы. Удивительно сообразительный парень. Он сразу рассчитал расстояние, которое не даст Лорду возможности его достать. Дина остановилась, зажав рот двумя руками. Хотелось зареветь в голос. Ее Лорд, ее деточка увидел солнышко, он гуляет… Они вдвоем ведь думали, что его жизнь пройдет в квартире… Там закончится. И эту мысль Дине так и не удалось утопить в своих слезах. Эта мысль — ее пытка, она думала, пожизненная. И вдруг…

Она к ним подошла медленно, осторожно. Спросила тихо:

— А как же это получилось, Саша?

— Ну как. Ты меня видишь? В таком виде я спокойно могу выйти на улицу и петь «Купите папиросы». Только сниму сапоги, которые в местах прокусов уже промокли. И тогда искренне получится: «Ноги мои босы». А вообще, — он мельком взглянул на слишком блестящие глаза Дины, — все нормально, как видишь. Парень наш доволен. Посмотри: он улыбается. Места много. Будем понемногу прибавлять расстояние, время… Знаешь, приговоры врачей так же рукотворны, как приговоры судей. И то, и другое можно изменить. Я, конечно, ничего такого не загадываю. И сейчас мы неплохо гуляем. Станет сильнее — мне не уцелеть.

Потом был небольшой бой уже дома, по поводу мытья. Лорд укусил руку Александра без перчатки.

— Видишь, — показал руку Дине Александр. — Симуляция чистой воды. Даже крови нет.

Был у них обед — ранний ужин. То, что Александр готовит лучше Дины, было так очевидно, что она даже не стала ему об этом в очередной раз говорить.

— Все в порядке? — спросил он. — У тебя заблокирован телефон. Может, разрядился. Я звонил в редакцию, а ты уже ушла. Давно это было.

— Да, мы с тобой решили, что туда не пойду. Хотела просто оператора отправить. Но потом вдруг подхватилась и понеслась. На процесс садиста и насильника, которому дали в опекунство шесть сирот.

— Ну, пошла так пошла. По-моему, зря, но я это уже говорил. Вряд ли тебе сейчас спокойно на душе. Я читал материалы по погибшей девочке пяти лет, которую этот урод насиловал и истязал. Ты не хуже меня понимаешь, что любой материал можно получить и не сидя в зале суда. Там особая атмосфера. Человека с твоими эмоциями эта атмосфера просто может задушить в таком деле.

— Где-то так. Реально чувствовала удушье. Но я хотела тебе кое-что рассказать, посоветоваться. Свидетели. Все свидетели из этого поселка или из соседнего. Они все его защищали, говорили, какой хороший человек, какие плохие дети. Провоцировали его на истязания. Но я не к тому, чтобы это обсуждать. Понятно, что люди нанятые. И в то же время они действительно там живут и каждый день все это наблюдали. Только одна соседка сказала, что дети были постоянно голодные, в синяках, гематомах, с надорванными ушами, разбитыми губами… В общем, мне показалось, эти соседи не просто наняты за деньги. Они в этом участвовали. Тоже пользовались детьми. У него остальных пятерых забрали, конечно, но так предусмотрительно раскидали по разным детским домам, причем удаленных друг от друга.

— С этим ничего не поделаешь. И с этими свидетелями тоже.

— Не знаю. Я пробила кое-какую информацию. Там была одна тетка, у которой тоже пять или шесть детей в «семейном детском доме». Она на них деньги собирает. На какие-то странные операции, непонятные лекарства.

— Что она говорила?

— Как им тяжело, «благотворителям». А их еще за каждую царапину будут в тюрьму сажать…

— Что ты собираешься с этим делать? Следить за ней?

— Почти. Она живет не в том поселке, где подсудимый. Но и не очень далеко. Интересно: на сайтах, где она собирает деньги, есть фото дома? Большой такой, кирпичный дом. Она безработная. Так вот, этот дом один в один как у Кремчука, которого судят. Такое впечатление, что одни строители строили. Я хочу туда съездить, но без группы, камеры, вообще инкогнито. Просто пожертвовать.

— А если она тебя узнает?

— Не узнает. Не накрашусь, завяжу платок… А если и узнает, они от денег никогда не отказываются. В голову не придет, что я ее в чем-то подозреваю. Раз дала деньги, значит, уже повелась.

— Ты так говоришь, как будто уверена, что это мошенница или такая же преступница, как Кремчук.

— А я именно уверена. Ты не хочешь со мной поехать? Так еще невиннее выглядит. Бездетная пара приехала помочь детям.

— Об этом не может быть и речи, чтобы ты поехала без меня. Завтра у меня процесс. Послезавтра. Нормально?

— Да. С утра запишусь, ты за мной заедешь, хорошо?

— Артема не слишком раздражает то, что я часто приезжаю за тобой?

— Ну что ты. Он так занят, сейчас такая запарка во всем. Он и не замечает ничего. А если бы замечал, то только обрадовался бы тому, что у меня появился такой чудесный водитель.

Она погладила Александра по плечу, а он отвернулся, чтобы она не видела его выражения лица. Он просто проглотил фразу: «Ты неисправима!» Даже Кольцову стало все понятно в течение двадцати минут.

Глава 2

Аня металась по квартире Артема. Это случилось! Это произошло так ужасно, она даже не могла себе представить, что будет так. Он больше ее не касается. В эту ночь остался спать или работать в кабинете. Утром она услышала, что он вышел, отправился, как всегда, в тренажерный зал, потом долго принимал душ. Аня заставила себя притащиться в кухню, чтобы включить кофеварку. Ей уже не требовалось тереть нос и глаза, они и так постоянно красные. Под глазами — тени от бессонниц. Она кашляет, и это больше не симуляция. Она так старательно изображала болезнь, что заболела на самом деле.

Артем сначала стоя выпил чашку кофе, потом спокойно посмотрел на нее:

— Аня, сегодня придет работница убирать. Через два часа пришлю за тобой машину. Тебя отвезут домой. Оттуда позвони мне, если будешь плохо себя чувствовать. Я вызову врача. Болезнь действительно затянулась. Весна, авитаминоз. Нужно принимать витамины. Да, ключи от квартиры повесь, пожалуйста, на место в холле. Пока. Звони.

Если бы он ее как-то подготовил. Предупредил хотя бы за пару дней. Но так... Так выбрасывают прохудившийся коврик у порога. У нее два часа! Пока она металась, у нее были разные мысли. Броситься в пролет с площадки второго этажа. Не разобьется, но точно что-нибудь сломает. Или лечь в ванную и порезать себе вены. Не умрет, потому что ее найдет работница. Или... Прыгнуть с подоконника на асфальт во дворе. Шестой этаж. Может и разбиться насмерть. Но пусть все знают, до чего он доводит девушек.

Аня вцепилась ногтями в свои руки. Вскрикнула от боли. Боль... Если бы как-то без нее... И тут она вспомнила про Дениса. «Да я ж забыла совсем». Она бросилась в спальню, схватила телефон. Денис не отвечает. Он в это время может быть в магазине на разгрузке. Телефон оставляет в кармане куртки. Это же долго! У нее нет времени! Через два часа машина. Уже меньше. Через полтора. Почему-то этот срок и эта машина казались ей приговором, после которого уже не будет ничего. Даже возможности позвонить Денису. Ее мозг просто пылал. Она не могла не только начать собираться, она не могла зафиксироваться. Она еще здесь. У нее мало времени. Но нужно что-то сделать. Понятно, что вернуться сюда уже не придется.

Аня побежала в кабинет Артема. Дверь была открыта. Работница ведь придет. Она влетела туда, стояла посреди комнаты и тряслась, сжав кулаки. Она смотрела на удивительно красивый, старинный письменный прибор из черненого серебра. Антикварная тяжелая ручка, которая переделана в гелиевую. Нож для резки бумаг, чернильница, в которой лежат какие-то мелкие вещи. Такая же зажигалка: под необработанный камень для высекания огня. На самом деле она уже современная и рабочая. Артем ею пользуется в те минуты, когда курит свою трубку. Когда смотрит передачи Дины.

«Вот, — подумала Аня. — Вот. Я спалю здесь все к чертовой матери».

И протянула к зажигалке руку, рука дрогнула. Работница, водитель... Они же вызовут полицию. Ее арестуют, ее посадят в тюрьму. И она схватила нож для резки бумаг. Руки тут же перестали трястись. Она пошла совершенно сознательно и уверенно к столику с фотографиями в рамках. Взяла портрет Дины в купальнике, вытащила, торопясь. А потом медленно, почти с наслаждением резала этот отпечаток прекрасного лица и полуобнаженного тела ножом. И тут позвонил Денис:

— Аня, я в магазине. Телефон был в куртке. Что-то случилось?

— Да. Все случилось. Дэн, я не хочу жить. Я и не буду жить. Меня выбрасывают, как половую тряпку, больную, с температурой. Сюда едет водитель. Я точно знаю, что это из-за нее. Из-за Дины. Она ему что-то пообещала.

— Где они сейчас?

Аня нажала на пульте ту кнопку, которая давала картинку студии. Там сидела Дина за столом. Вытирала платком глаза.

— Они на работе, Денис. Оба. Ты помнишь, где это? Дэн, я хочу, чтобы... только ее. А он пусть мучается. Тут и я пригожусь.

— Конечно. Так я пошел? До свидания, Аня. Вспоминай.

Глава 3

Артем подписывал документы, секретарша стояла у стола. Он дал ей не глядя.

— Ой, вы не там подписали, Артем Витальевич.

— Не может быть!

Артем посмотрел. Да. Первый раз в жизни. Каждое его движение давно выверено до автоматизма. Просто сегодня… Он смял и бросил бумаги в корзину, велел переделать.

В кабинет вошел оператор. Посмотрел на работающий монитор.

— Здравствуйте, Артем Витальевич. Ну, вы видите, не идет у нас сегодня. Шесть дублей записал с Диной Марсель. Двух слов не получится вырезать для эфира. Не в форме она. Никогда такого не было. Расплакалась сейчас. У меня предложение. Срочно дать замену. Есть два ведущих сейчас в студии. Я спросил. Да на пять минут найдется у каждого новостей.

— Нет, — рявкнул Артем. — Она была предупреждена: не надо самой таскаться на этот процесс над садистом. Материал в редакции лежит, нормальный, официальный, строгий. Прочитала бы — и без дублей бы прошло. Ее тема. Сейчас одни всхлипы и кудахтанье, как у наседки! Виктор, я прошу тебя, продолжай писать до упора. До кондиции. У нас, в конце концов, по плану именно этот материал. Ее рыдания и страдания никого не волнуют. Я ей плачу за их отсутствие в кадре. Она — профессионал. Истеричек на ее место выше крыши. За лишнюю работу, разумеется, ты получишь другие деньги. Из ее гонорара.

— Работать я буду, конечно, раз вы говорите. Хотя я бы так не поступил с женщиной. Но ее гонорар не возьму.

— А я что: задавал тебе какой-то вопрос? Я просто озвучил свое решение.

Оператор дошел до двери, потом повернулся:

— Хороший вы руководитель, Артем Витальевич. Горжусь, что здесь работаю. Только вам не люди нужны. Вы нас всех за крепостных держите. Даже Дину. Она — особенная. Потому и плачет. Короче, денег ее не возьму. Можете увольнять. Устроиться сейчас трудно, но хочется человеком остаться.

Артем, насупившись, смотрел в стол.

— Работай, Витя, — произнес он. — Все будет нормально. Вытащи эту передачу. Получишь и ты, и она, что вам полагается. Крепостные… Не знал, что меня так коллеги «любят». Я ценю тебя. Знаешь, как я отбираю людей. Тебя вообще переманил. А с Диной… У меня тоже есть нервы. На это было невозможно смотреть. Пусть умоется, потом опять грим — и в работу. Удачи. Я жду.

— Спасибо, — сказал оператор и вышел.

Артем закурил трубку и напряженно уставился на монитор.

«Ну вот, — вздохнул он облегченно через сорок минут. — То, что нужно. Что доктор этому козлу прописал. Теперь ему мало не покажется».

Он сидел и продолжал смотреть, как Дина улыбается виновато, как извиняется перед группой. Встала из-за стола и схватилась рукой за спинку стула. Покачнулась от усталости и напряжения. Плохо за ней смотрит ее адвокат. Надо было сказать, чтобы не лезла, куда ей нельзя. Даже Артему это дело было бы тяжело слушать в зале суда. Надо читать сжатый, косноязычный, как водится, материал репортеров новостных каналов. Эмоций Дине хватает и на их основе.

Она не стала смывать грим, так, видимо, измучилась. Отработала блестяще. Пять минут потрясающего экспромта. И ни вздоха, ни всхлипа, ни неверного слова. И монтажа не требуется практически. Он выпишет ей премию. Если козел получит срок на полную катушку — добавит. Оператору само собой. «Крепостной»... Задело вообще-то. Это лучший оператор на ТВ.

Дина влезла в свою куртку. Артем посмотрел в окно: встречает ли ее адвокат. Его нет. Но странно: совершенно чужой парень стоит на дорожке, по которой сейчас пойдет Дина. Парень совсем молодой, почти подросток. И какой-то ненормальный. Лицо совершенно белое, правую руку держит на заднем кармане джинсов. У этого садиста, о котором Дина сейчас писала передачу, наверняка есть подельники, соучастники. Это бизнес. Дина говорила, что они даже в качестве свидетелей выступали. Парень на такого похож. В кармане у него что-то есть. Возможно, бутылочка с кислотой... Так нередко поступают с людьми, которым важно лицо в работе...

Артем быстро достал из ящика стола пистолет, сунул в карман пиджака и почти побежал к выходу. На дорожке Дина была перед ним на расстоянии вытянутой руки. А парень целился ей в голову. Держал двумя руками, похоже, «Шаман».

Артем отшвырнул Дину с пути, она упала, а он выстрелил киллеру в грудь. В это время пуля Дениса уже летела ему в висок. Артем упал раньше Дениса. Тот лучше знал анатомию. Его куда менее серьезный патрон, чем из «вальтера» Артема, вошел как по маслу в череп и за секунду прошил мозг. Застрял в слове «Дина», которое Артем не успел произнести до смерти.

Дениса увезла машина «Скорой», за ней выехал полицейский наряд. Боль была невероятной. Но Денис точно знал, что ему придется жить и что он не выполнил желание Ани. Женщина жива. И еще хуже. Он убил того, на которого у Ани еще остались надежды.

Глава 4

Александр несколько раз тихонько подходил к неплотно закрытой двери спальни и заглядывал в щель. Дина сказала, что она постарается уснуть. Выпила даже какую-то таблетку. Прошло больше часа, а она сидит на краешке кровати прямо и неподвижно. Сжатые руки — на коленях. На голове… Господи, этот ее черный платок. Разумеется, это бессознательно. Ее привезли в таком состоянии, что она недоуменно смотрела на него после самой простой фразы. «Пить хочешь?», «Может, валидол или сердечные капли?», «Дина, как мне тебе помочь?..» И такие безошибочно душераздирающие движения. Черный платок. У кого-то это просто ритуал или демонстрация. У нее… инстинкты.

Они так много узнали друг о друге за это короткое время совместной жизни и невероятного родства. Она не любила Артема. Не тосковала по нему в разлуке, наоборот, говорила честно, что без него ей жилось легче и естественней. Но он ей такая странная родня. Пигмалион. Он ей внушил, она поверила в то, что он вдохнул в нее жизнь. Она не представляла себе ни настоящего, ни будущего без него. Она любит Александра, а мир держался на Артеме, как на китах... Такие они, гипертрофированные эмоции. Его попытки ее утешить просто неуместны. Ее горе. Она совершенно забыла, что целились именно в нее. Кошмар Александра заключался как раз в этом. Он на связи с Кольцовым. Тот сказал, что раненого киллера увезли, что это практически мальчишка. Наверняка разовый киллер. И она теперь под прицелом. Они под прицелом. Александр этого не вынесет...

Звонок в дверь. Это Кольцов.

— Ну что? — спросил Сергей?

— Сидит в спальне. Давно. Не хочет ложиться, не хочет врача, ничего не хочет...

— Не надо торопиться, Александр. Сцена была страшная. Спас ее Артем. Что, разумеется, не снимает с покойника подозрений в убийстве или заказе Вадима Долинского. Скорее, наоборот.

— Теперь какой смысл об этом? Что с киллером? Есть информация?

— Да есть, конечно. Тут, наверное, можно расслабиться. Все на поверхности. Один формальный вопрос Дине. Можно?

— Пойдем.

Александр заглянул в дверь спальни:

— Дина, к тебе Сережа Кольцов. Ненадолго. Ты сможешь ответить на один вопрос?

— Конечно, — сказала Дина, сдернула платок, как будто не понимая, как он на ней оказался, пригладила волосы и встала ровно, как отличница на уроке.

— Добрый… Точнее, здравствуйте, Дина, — сказал Сергей. — Нужно вам посмотреть на фотографию парня, который целился в вас и убил Артема. Вы его раньше видели?

Дина очень внимательно смотрел на снимок.

— Совершенно точно нет. Удивительно красивый мальчик. Такие лица не забываются. Кто это?

— Да, собственно, еще никто. Восемнадцатилетний Денис Василевский. Приехал на заработки в Москву. Возможно, собирался поступить куда-то. Из бедной семьи, мать-одиночка. От армии освобожден. Как кормилец. У матери еще и инвалидность.

— Он без сознания? — спросил Александр.

— В сознании. Меня пустили до операции. Представляете, пуля рядом с сердцем, а он в сознании и даже говорил.

— Что?

— Что просто выбрал Дину в качестве жертвы. Как Раскольников. Решил себя попробовать. Телевизор якобы посмотрел. А телевизора в его съемной квартире нет…

— Начал так зарабатывать кормилец? — предположил Александр.

— Да нет. Все до ужаса просто и невероятно. Он эпизодически встречался с Анной Синицыной, временной сожительницей Артема Марселя. Тот ее выгнал из дома, просто надоела. Она решила, что во всем виновата Дина. Попросила Дениса ее убить, Артема оставить на всякий случай. И он пошел!

— Тут что-то не так, — сказал Александр. — Откуда информация? Она заказала это убийство? Возможно, она просто посредник заказчика?

— Информация из последних разговоров Дениса и Анны по телефону. Только что Земцов получил расшифровки оператора. Собственно, Денису, кроме Синицыной и матери, никто не звонил. Его показания: он говорит, что с ней встречался, но она ни при чем. Она немного мутит, конечно. Заказа как такового не было. Не было у него денег, которые непременно поступают перед выполнением заказа как аванс... Он потратил на травмат свои последние деньги, которые должен был заплатить за квартиру.

— Что говорит она?

— Ничего существенного. Рыдает, истерит... Типа погорячилась, но не знала, что он так поступит.

— Твое впечатление?

— Она не погорячилась. Она знала, что он так поступит. Он влюбился. Как-то... Не как обычный человек.

— Он сумасшедший?

— Не знаю. Может быть. Что называется, не такой, как все. Человек дождя. Не на ту бабу запал. Мне очень жаль, Дина, что так все ужасно и нелепо получилось. Я пришел формально показать вам снимок и сказать, что опасаться за свою жизнь сейчас нет оснований.

— За мою жизнь? — задумчиво переспросила Дина. — Ну да. Артем спас. И убит. Спасибо, Сергей. Я поняла.

Глава 5

Земцов и Кольцов прошли пост охраны, затем немного поблуждали в шикарном интерьере особняка, который внутри оказался похожим на помесь дорогого офиса, начиненного богатейшей техникой, с борделем, далеко не бедным.

Слава и Сергей были тоже не лыком шиты. В деловых костюмах оба, с самоуверенными и озабоченными лицами, с отличными фальшивыми документами, подчиненные Славы — высокие профессионалы.

Вписались в уже собравшееся общество как родные. С ними даже многие здоровались. Дело в том, что здесь люди, которые могли по жизни друг друга не видеть, но связывают их узы крепче кровных. Эти узы Сергей даже мысленно не мог назвать бесцветным словом «деньги». Масленый свет в глазах ухоженных, немного перекормленных мужчин назывался нежным словом «бабосы». Это же слово, уже с другой интонацией, объяснит впоследствии, почему люди, раскрывающие сейчас друг другу объятия и демонстрируя в улыбке все тридцать два импланта, начнут друг друга убивать и грабить с особой жестокостью.

Это был очень левый «экономический форум». Уже не бандитская сходка. И формально все участники — далеко не зэки, вчера откинувшиеся с зоны, это руководители реально существующих известных структур. У этих важных, прекрасно одетых мужчин, чаще всего в дорогих очках, есть и научные степени, и диссертации, как правило, не одна. Просто все это левак, туфта. Все это куплено, украдено, слеплено из чужих кусков работ. Для того чтобы понять разницу между этими людьми и теми, кто на самом деле имеет отношение к науке «экономика», не нужен ни экзамен, ни тест. Нужно просто рядом с каждым поставить младших сотрудников самых вымирающих НИИ. Бедных, близоруких, плохо одетых сотрудников, карьера которых в лучшем случае — со сломанного стула на целый, а зарплата равна плате за квартиру. Поставить рядом и посмотреть на взаимную реакцию. Эти, важные и наглые, собьются с гладкой фразы, свернутся, как прокисшее молоко, «очкарики» плюнут и побегут что-то досчитывать на своем допотопном компьютере.

Потому форум и левый, а особняк, в котором он находится, значится по несуществующему адресу. Нет такого дома на такой улице. И, разумеется, вся эта шикарная публика, прибывшая из своих дворцов в самых дорогих городах мира, — чистой воды криминал. Особый криминал: его до поры до времени не возьмешь ни с какой стороны. Эти люди умеют одно: себя защищать, биться за свое. А их свое — это, если хорошенько вникнуть, всегда чужое.

Смысл, конечно, в первую очередь заявить о своем легальном и доминирующем существовании в мире бизнеса. Для того здесь и подножная пресса: все по тарифу. Для того написаны рабами речи, чаще всего демагогические и пустые, чтобы никто не мог ни за что зацепиться. Для того приглашены несколько записных клоунов из «большой» политики, они прокричат пяток безумных фраз, сделают этот «форум» событием, о котором можно спорить, по поводу которого можно возмущаться до потери пульса. Все это — распространение информации. И в результате — эти люди есть в экономике или «экономике», их не на всякой козе объедешь, они застолбили такое доходное место, что туда другим вход заказан...

Речей Сергей и Слава вынесли минут пятнадцать. Потом тихонечко вышли, как, впрочем, и многие другие участники. И попали в рай чревоугодников. И рестораны с полными обедами, и залы для фуршетов, и бары с чудесными напитками и миленькими такими закусками. В одном месте, где особенно вкусно пахло, Слава полез в задний карман брюк, где он носил заначку.

— Успокойся, друг мой, — сказал Сергей. — Оставь в покое свои непосильным трудом нажитые гроши на водку и селедку. Взгляни на цены. Если тут не бесплатно, то мы можем в любом случае питаться сутки, не прерываясь, и заплатить, как за пачку пломбира.

Так оно и оказалось. От алкоголя пришлось решительно отвернуться. Но поели...

— Да как никогда в жизни, — сказал Слава. — Ты знаешь, теперь они мне на самом деле кажутся экономистами.

Позже в особняке появились дамы. Некоторые из них, судя по всему, были женами. Где-то уже звучала музыка, где-то мелькали лица поп-звезд.

— Слушай, — встревоженно произнес Слава. — Они вроде все надолго. Ты уверен, что это закончится сегодня?

— У нашего вечерний рейс, — сказал Сергей. — Вот он и пошел на выход. Погнали.

В уютном, освещенном мягкими красивыми фонарями дворике Земцов с Кольцовым подошли к плотному респектабельному мужчине в светлом костюме, который открывал свой «Мерседес».

— Добрый вечер, Валерий Аркадьевич Николаев, — сказал Слава, показав мужчине настоящее, а не фальшивое удостоверение. — К сожалению, мы вынуждены вас задержать для проверки.

— Это произвол, вы ответите, — с готовностью выпалил мужик, дико взглянув на них дикой в принципе физиономией. Урка — он и есть урка, хоть помести его в рамку, инкрустированную алмазами. — В чем дело?

— В убийстве Вадима Долинского, — сказал Слава.

— Дело давно закрыто!

— Оно опять открыто. Так бывает, вы не в курсе? Новые обстоятельства. Нужны просто ваши свидетельские показания.

— Но я утром должен быть в офисе в Кельне.

— Кельн никуда не денется, ваш офис тоже. Как гражданин России вы сейчас нужны именно ей. Сережа, тебе не показалось, что я сказал стихами?

— Мне показалось, что ты пропел гимн, — одобрительно сказал Сергей. — Николаев, поехали. Вам с нами будет лучше, можете мне поверить. Не все милые экономисты, собравшиеся здесь, хотят, чтобы вы завтра были в Кельне. Или где-нибудь еще.

— Там были люди Красина? — быстро спросил Николаев.

— Ну да, — неопределенно произнес Сергей.

Глава 6

Утром Александр поговорил с Земцовым. Тот сообщил, что убийце Артема сделали операцию, вполне успешно. Скоро переедет в СИЗО. Но и без его признаний сомнений в мотивах и причинах нет совсем. Да, такой чудовищно нелепый, несчастный для Артема и Дины случай. Парень действовал так откровенно, что, скорее всего, сразу признается и для протокола. То, что он говорил Кольцову сразу после ранения, конечно, пока не считается официальным признанием. Девушка Анна уже дала показания, но они именно нелепые. Сказала, что пожаловалась Денису в приступе депрессии.

Артема можно хоронить. Но его родителей, которые давно живут в Америке, найти пока не удалось. Они путешествуют по Африке, сафари.

— Хоронить, конечно, будем мы, — сказал Александр. — Родители потом приедут. Не дело это — оставлять в морге.

Александр вошел в спальню. Дина лежала с закрытыми глазами. Она не шевельнулась за ночь ни разу. Так, конечно, не спят. Александр сел рядом с ней, сообщил все в общих чертах.

— Хоронить Артема? — распахнулись смятенно глаза Дины.

— Девочка, ну а как же?..

— Извини. Это я со сна.

— Я всем займусь сам. А ты потихоньку собирайся. У тебя же запись.

— Да. И мы хотели в этот приют…

— Ну, это придется отложить, сама понимаешь.

Дина встала, потянулась за халатом и вдруг резко повернулась к Александру:

— Милый, разреши мне бросить к чертовой матери эту работу. На время, конечно. Потом я куда-нибудь устроюсь. Наверное, не на телевидение. Больше не могу. А туда, к нам, я точно больше никогда не смогу даже просто войти.

— Дина! Я даже мечтать о таком не мог, чтобы ты захотела стать просто хозяйкой дома. И Лорд. И Клякса. Мы будем тебе так благодарны. Никакая работа тебе не нужна. Ты слишком себя тратишь на нее.

— Надо с людьми попрощаться, — сказала Дина.

— Успеешь. Они поймут.

Он и сам отменил все дела. Утро прошло в режиме выходного. Никто никуда не торопился. Внешне люди были спокойны, собаки счастливы.

И тут позвонил телефон Дины. Она рванулась к трубке: «Господи, я же совсем забыла сказать, чтобы заменили… Это администратор».

— Да. Я как раз набираю вас. Прошу, чтобы меня заменили.

— Я уже, разумеется, заменил. Еще вечером договорились. После того что произошло, понятно, что вы не сможете работать. — Администратор у Артема был более четкий и строгий, чем компьютер. — Тут другой вопрос. И мы очень надеемся, что вы сумеете подъехать. Все очень просят. Здесь сейчас весь коллектив.

— Что-то еще случилось?

— Ничего не случилось. Просто у нас нотариус и юристы Артема Витальевича с его бумагами…

Люди взволнованы. Мы очень просим приехать. Это ненадолго. И серьезно.

— По телефону нельзя?

— По телефону не получится. Я не интригую. Коллектив хочет услышать от вас одно слово. Всего одно слово.

Дина в растерянности отложила телефон и взглянула на Александра, который сидел рядом.

— Я слышал, — сказал тот. — И надо людям это слово сказать, тем более ты уже приняла решение. Не знаю, как ты, но мне ясно, в чем дело. Что называется, не ждали...

Дина ехала в машине молча. Она была в черных брюках и черном свитере с воротом до подбородка. Лицо у нее было решительное. Она и сама все поняла. И, как верно сказал Александр, все решила. До того. А то, что они сейчас услышат наверняка... Это исключено. Это не ее дело в принципе.

Все были в кабинете Артема. Три юриста и нотариус стояли у письменного стола. Сотрудники сидели на стульях и креслах. Когда Дина и Александр вошли, они тоже встали. Это было просто соболезнование. Дина поняла и лишь опустила ресницы в знак того, что приняла его.

— Дина Евгеньевна, — сказал нотариус. — Здесь документы, подготовленные Артемом Витальевичем давно. На все случаи: естественной смерти, инвалидности, убийства, далее не стану перечислять. Есть и завещание. По всем этим документам, а знакомиться с ними нужно долго, конечно, вы остаетесь его преемницей. Если согласны, конечно. Владелицей фонда, канала, генеральным директором. Поскольку все было в частной собственности, никаких утверждений не требуется. Лишь ваше согласие, которое необходимо подтвердить документально. Рассмотрен и вариант вашего отказа. В этом случае фонд и канал ликвидируются, деньги направляются на благотворительность. Он указал, куда именно. Онкоцентры и детские дома.

— Благотворительность — это прекрасно, — сказала Дина. — Извините, но читать это я не могу.

— Это понятно, — вмешался администратор. — Дина Евгеньевна, люди просто хотят услышать: да или нет. Если да, то вопрос оформлений, понятно, не в нынешней вашей ситуации. Мы будем ждать, сколько нужно. Если — нет… Людям надо что-то делать.

Дина собиралась легко улыбнуться и сказать: «Ну, о чем вы. Какой руководитель? Какой владелец? Я просто «говорилка» на пять минут. Галатея, от которой без Артема осталась только шкурка. Такой поставленный сильный проект без меня легко обойдется. Можно как-то обойти, возможно, условие Артема о ликвидации. А если все это закрыть, таких профессионалов сразу расхватают»…

И тут она встретила столько напряженных взглядов. Да, она не может, но в дурочку поиграть не придется. Ей отлично известно, что этих людей никуда не возьмут именно потому, что они слишком яркие и независимые, о них постоянно распускали какие-то идиотские сплетни. Именно потому, что каналу Артема все завидовали, отказывать его сотрудникам будут злорадно и с удовольствием… Вот Вера, у нее трое детей. Вот Кирилл, у него жена, молодая женщина, еле передвигается на костылях: ее сбил на переходе грузовик. Вот Татьяна, у нее слепой отец и мать на четвертой стадии рака… И только она, Дина, «бесплодная», по определению Людмилы, будет безмятежной хозяйкой неплохого дома, женой состоятельного адвоката, забудет Артема, страшную сцену его гибели из-за нее, всю эту работу на разорванных нервах, с убитыми в себе слезами в сожженных глазах… Да, она только этого и хочет — все забыть и оставить в прошлом.

— Разумеется, я продолжу дело Артема. Себе оставлю свои пять минут. В остальном надеюсь на помощь.

— Дина, — вдруг по-мальчишески рассмеялся никогда не улыбавшийся администратор. — У Артема Витальевича на каждое дело есть отдельный человек. Это все будет работать как часы…

Александр уже произнес в машине:

— Нужно выслушать железное решение женщины, чтобы понять: она поступит наоборот. Но я в любом случае с тобой.

Глава 7

Ночью Людмила разорвала простыню на полосы, связала их и пыталась повеситься на спинке металлической кровати. Она сейчас на особом положении — в одиночке: готовят на роль особо опасной преступницы. Дело это трудное: рассчитать расстояние петли так низко, встать на колени, сделать рывок всем весом… Ей просто не хватило времени. Ворвались конвоиры, видимо, кто-то посмотрел в глазок на двери.

Потащили в медпункт. Она была в сознании, просто кружилась голова, говорить и глотать не могла: связки передавила. Ей сунули ватку с нашатырем под нос, что-то вкололи в вену, еще и повоспитывали. А у нее даже не было голоса, чтобы послать.

Вернули в камеру. Она лежала, в голове туман, от укола, наверное. Очень болело горло. Мысль была одна:

«Времени много. Не уследят».

Утром ее повели к Земцову на допрос.

— Я в курсе ваших подвигов, Арсеньева, думал, вы сильнее, — сказал Слава. Выглядела она действительно ужасно. На шее — полоса, под глазами не синяки, а какие-то кровоподтеки. Сосуды, что ли, лопнули…

Людмила показала на горло: нет голоса, а губы сложились в презрительную усмешку. У нас, мол, мусор, разные представления о силе.

— Я понял, о чем вы подумали, — ответил на эту улыбку Слава. — Вы можете мне не верить, но с этим спешить незачем. И взгляд ваш сейчас понял. Нет, я не для воспитательной минутки вас вызвал. Информация для вас серьезная. Раиса Чибиряк ночью скончалась. И, как вы понимаете, обвинение переходит в более серьезную статью. Не исключена сто первая: «Умышленное убийство». Если мы сумеем доказать то, что вы избивали Чибиряк с определенной целью — месть, устранение как свидетеля другого преступления и прочее. Даже если умысла убить у вас не было, очевидно, что счастья и здоровья вы ей, мягко говоря, не желали. А выжить у нее было слишком мало шансов.

Когда у вас появится голос, вы получите возможность защищаться сама. Ваши коллеги подписали договор с адвокатом, осталось вам его принять. Вы все поняли, Людмила Николаевна?

Людмила кивнула. Потом махнула головой в сторону пачки бумаги на его столе и ручки.

Слава протянул ей листок и ручку. Она написала: «Рада, что Райка сдохла».

В камере она лежала лицом вниз, бревно бревном, и думала только о том, что у бревна, как и у мертвых, горло не болит. И это лучше, чем ей сейчас. К ней заходили, сказали, что пришел адвокат подписывать с ней соглашение. Она показала жестами, что не может говорить и встать, повернулась лицом к стене.

...Она так низко пала тогда в своем страхе перед уходом Вадима, что пошла на невероятное унижение. Противозачаточные таблетки она принимала с самого начала их брака. Так они решили: если ребенок, то в такой ситуации, когда она сможет оставить работу, а у него все будет стабильно с работой и по деньгам. Все же кормилицей в семье в большей степени была она, а не он. А потом он бросил работу и стал всех обманывать, что его уволили. Она сразу поняла, что это обман. Не ребенок: никаких рабочих скандалов, конфликтов, никаких неприятных разговоров и, главное, его переживаний по этому поводу не было и в помине. И уже началось это помешательство с передачами Дины Марсель. Он так и не узнал, что их «супружеский долг», на котором настаивала именно она, был для нее адом, ничего, кроме отвращения к ситуации, она не испытывала. Продолжала принимать таблетки. Пока не пришла в голову эта сумасшедшая мысль: удержать его с помощью беременности. Дело в том, что каждый вечер Людмила боялась, что однажды он придет домой. И это была мука. Вдруг показалось, что ребенок все изменит, Вадим ведь добрый человек. Но и он начал себя с ней вести, как с врагом, способным на любой обман. Он, кажется, перестал верить в ее таблетки. Или просто дополнительно страховал себя. Он прерывал акт. Такие у них тогда были эти «супружеские отношения». Людмила ему, наверное, опротивела, она иногда задыхалась от ненависти.

И пошла на такое. Изобразила безумную страсть, целовала ему руки, говорила о том, как истосковалась, о том, что приняла сразу две таблетки... Сказала, что она не успевает его почувствовать, когда он оставляет ее раньше времени... Это все было безошибочно. Он, со своей порядочностью, с комплексом вины, которая была только в голове... В общем, получилось. Узнав, что она беременна, Людмила сразу придумала имя: Виктория — победа. Почему-то ей с самого начала казалось, что у нее может родиться только дочь. Но даже если мальчик, то Виктор.

Потом, когда ситуация качнулась в настолько худшую сторону, она почувствовала себя в мышеловке. Лежала ночами без сна рядом с Вадимом и придумывала, как ему отомстить. Иногда эта месть выглядела в ее воображении как казнь неродившегося ребенка. Потому что Вадим стал ее презирать. Просто шарахаться. Людмила вспоминала самые дикие случаи, о каких слышала от женщин. Например, спицей порвать в своей утробе это несчастное дитя. Она видела, как по ногам польется кровь, как она станет терять сознание от боли, как он перепугается насмерть, этот предатель, это жалкое ничтожество. Он, конечно, очень испугается, настолько, что они могут прожить на одном страхе много лет...

Она так не поступила. Оказалось, что для этого слишком слаба. А он уже жил рядом с ней и совсем без нее. Жалеть перестал. Ребенка... Да никакой мужчина не полюбит навязанного ему ребенка.

Когда он ушел, ей даже легче стало на какое-то время. Тело на двоих диктовало свои правила. Она готовилась. Да, девочка. Когда по ночам сильно толкалась в ее животе, даже вроде можно было рассмотреть то ножку, то головку — Люда разговаривала с ней. Называла не Викой, а Витой — жизнью.

Если бы она все бросила и уехала куда-то далеко, где даже телевизоров нет... Если бы... Да много на свете дорожек, чтобы не встретиться на них с тем, кого вычеркнула из жизни. Ее выписали на третий день: они обе были совершенно здоровы, а мест не хватало. Приданое она закупила заранее. Сразу стали звонить, поздравлять. Тогда у нее в знакомых еще были их общие друзья. Все радостно приветствовали ее дочку и еще более радостно сообщали о том, что Вадим женился на Дине.

К вечеру первого дня, проведенного дома, температура у нее взлетела до сорока. Но она не стала вызывать врача. Ночью сгорело молоко, ребенок плакал до утра. Она потащилась в женскую консультацию неподалеку, ей дали лекарства, назначили уколы, прикрепили к молочной кухне... Но она предпочла кормилицу. Это полезнее, молоко матери, пусть и чужой.

Температура, может, упала, может, нет. Людмила ее больше не мерила. Молоко все равно не появится. Его стало сжигать желание мести. Больше ничего Людмила не чувствовала в те дни. Это была адская боль. Не очень ласковая от природы, аккуратная до маниакальности, Людмила старалась как можно реже прикасаться к ребенку. Ее ненависть и агрессия могут быть заразными. Она иногда смотрела, как девочка припадала к полной груди кормилицы, и думала о том, что для счастья Вите нужно только одно: чтобы ее родной матерью была Полина. Людмила, обугленный демон мести, ничьей матерью быть не может. Так страшно она наказана за свой обман. А он, предавший и забывший не только ее, но и свое дитя, — он награжден. Блаженством любви. Да будет проклят он и его любовь. Ответить пришлось Вите.

— Вита-а-а-а-а! — вернулся к Людмиле голос. Она кричала на всю тюрьму. Потом, когда в камеру прибежали контролеры и врачи, она отчаянно отбивалась руками и ногами. Ее тоже били, пытаясь успокоить, хотели надеть наручники. Они оказались в ее руке, ими она разбила лицо женщине-врачу, та отшатнулась, упала. Людмила ногой била ее по лицу, чувствовала, что выбивает зубы…

Они вытащили свои дубинки, махали пистолетами, Людмила видела свою и чужую кровь. Потащили в карцер. А это все! Каменный гроб. Ни крючка, ни гвоздя, ни веревки. Ни осколка, ни железки, чтобы разрезать вены, по которым течет ее грязная кровь. И она всю ночь кричала, выла: «Вита-а-а-а!»

— Черт, — сказал пожилой контролер с рукой, забинтованной после укуса Людмилы. — Как в аду воет. Что за Вита?

— Говорят, у нее ребенок то ли помер, то ли убили, то ли она сама прикончила. Бешеная, — ответил молодой парень.

— Ребенок помер — это плохо, если сама прикончила — еще хуже, — сказал первый. — Бешеная или нет — не знать ей покоя ни на этом, ни на том свете. Видишь, как ее крючит...

Глава 8

После операции Дениса оставили в маленькой палате-закутке рядом с реанимацией. В коридоре сидели круглосуточно дежурные из отдела по расследованию убийств. Он — даже не подозреваемый, он точно убийца...

Денис встал на второй день, сам дошел в крошечную душевую. На третий день сам стал есть. Сестры и нянечки ничего не могли понять. Охрана, убийца... А они жалели его до слез. Он вообще похож на небесное чудо: высокий и тонкий, лицо как с картины, поперек почти детской груди — большой шрам. Они пили чай в ординаторской и вспоминали информацию о том, как таких мальчиков используют и подставляют настоящие убийцы.

Когда в коридоре появились Земцов с Кольцовым, сотрудники смотрели на них подозрительно, недоброжелательно. Следователь и сыщик остановились рядом с охранником.

— Ну, как он? — спросил Слава.

— Да как... Как в детском санатории. Ему носят какие-то домашние блюда, я тут от запахов слюной захлебываюсь. Он пару раз выходил в коридор. Пытался отжаться от стула. Не вышло. Застонал. Улыбается, здоровается.

— Сережа, пора мать вызывать… — то ли сказал, то ли спросил Слава.

— Надо, конечно. Но я посмотрел… Там такой букет у нее. Порок сердца, диабет, дальше просто не запоминал.

— Ей за ним ухаживать не придется. Мы просто обязаны поставить в известность.

— Надо спешить?

— Нет, Сережа! Надо, чтобы она по телевизору услышала, как ему вломят лет двадцать… У него есть съемная квартира. Хозяева согласны, чтобы она пожила.

— А я что. Конечно, информация — это лучше, чем ее отсутствие. Особенно такая информация. Пошли к пациенту?

— Здравствуйте, Денис Игоревич, — сказал Слава, когда они вошли. — Мы ваши следователи. Пора знакомиться.

— Очень приятно, — вежливо ответил Денис. — Но я помню, что вы приходили еще до операции.

— Хорошо работает голова, значит, — прокомментировал Слава. — И такое преступление.

— Мы едем в тюрьму? — спросил Денис.

— Да нет пока. Еще пару дней здесь надо побыть. Швы будут снимать, конечно, уже в тюремной больнице.

— Денис, — вмешался Сергей. — У тебя есть какая-то система защиты? Смягчающие обстоятельства?

— Нет! — с готовностью произнес Денис. — Никакой системы. Я хотел совершить убийство и совершил его. Просто была ошибка. Я хотел убить женщину. Когда мужчина ее отбросил, я стрелял в него сознательно. Меня интересует анатомия. Поэтому все так быстро...

— У вас будет бесплатный адвокат, Василевский, — сказал Слава.

— Не стоит, наверное.

— Ну, это наш вопрос. Мы собираемся также вызвать вашу мать.

— Маму? — В глазах Дениса мелькнула паника. — Что мне сделать для того, чтобы вы ее не вызывали? Она болеет у меня.

— Ты о ней позаботился, — резко сказал Земцов. — Теперь ты со своим большим умом хочешь, чтобы она увидела процесс по телевизору и услышала приговор без подготовки? Ты убил очень известного человека!

— Да, конечно. Я не учел того, что она все равно узнает. Я на самом деле хочу, чтобы мама приехала.

— Елки! — выдохнул Сергей уже в коридоре. — Он хочет видеть маму...

— Надо его проверить на предмет вменяемости, — сказал Слава. — Как только перевезем. Если псих — все же не так ей будет тяжко. Взять хотя бы то, что он какой-то ненормально красивый.

— Слава! Ты считаешь, что красота — признак ненормальности? Это революция в психиатрии.

— Сережа, если я тебе дал повод, можешь начинать свое шоу. Но я просто считаю: все, что слишком — это уже не норма. Скажешь, нет логики?

— Масленников будет в восторге, — скучно произнес Сергей, шоу решил не устраивать. Не было настроения.

Они приехали в отдел, дежурный на вахте сказал Славе, что его ждет посетительница по пропуску.

— Да, знаю.

У кабинета Земцова заливала помещение слезами Анна.

Слава открыл дверь и сказал:

— Проходите, Синицына.

Аня упала на стул и резко затараторила:

— Денис — не в себе. Он не должен был убивать Артема. Артем — мой любимый человек.

— Кого должен был убивать Денис?

— Ну, вы, наверное, уже все знаете. Он же вам сказал? Ее, Дину Марсель. Я ему сказала. Меня арестуют? Будут судить?

— Слава, можно я ей объясню? — подошел к Ане Сергей. — Тебя не арестуют и не будут судить. Мы ничем не сможем доказать факт заказа. Ты ему не платила аванс. Он — не профессиональный киллер. Он был не заинтересован ни материально в том, чтобы выполнить твою просьбу, ни как-то иначе. Одна твоя фраза по телефону — это все, что у нас есть. Мы даже не будем смешить суд. Потому что тут твое слово против его слова. А он сказал, что ты ни при чем. Что он сам захотел убить женщину, потом убил спасшего ее мужчину. У него есть теория на этот счет. Попробовать себя хотел. Разница между вашими словами — огромная. Он — убийца известного деятеля, ты — никто. Прошмандо на вызовах.

— Ну, вы чего…

— Извини, просто зло взяло. На самом деле, конечно, он пошел на преступление из-за тебя. Но он его совершил, и его теперь ничего не спасет. Даже если тебе выпишут штраф или дадут сорок восемь часов исправительных работ. На его сроке это не скажется. Но тебе ничего не дадут. В такую смешную причину, как твоя тупая фраза, никто не поверит. И она ничего не изменит. Понимаешь, Синицына, на свете полно придурочных баб. И если бы мужчины, парни, мальчики мчались с пистолетами убивать тех, на кого эти бабы пальцем покажут, население земли было бы значительно меньше. Так что отвечать будет он. Его больная мать. Родители Артема Марселя, Дина Марсель. Только ты ни при чем. Тебе скоро двадцать девять лет. Если бы ты родила в восемнадцать, твоему ребенку было бы уже одиннадцать лет. На семь лет меньше, чем Денису. Всего на семь лет… А выйдет он, если его признают вменяемым, через много лет. В лучшем случае не через двадцать. Да и пожизненное не исключено. Его больная мать может и не дожить.

— Сережа, ты сказал пламенную речь, — вмешался Земцов. — А теперь, Синицына, все же напиши заявление, в котором берешь всю вину на себя. И я попробую с этим что-то сделать. Я не такой пессимист, как Кольцов.

— Зачем это я буду писать?! Вы сами сказали, что Денис во всем признался. Сам решил. Я просто не возражала… Да и говорили мы… Я что, сказала слово «убить»? Да вы что! Я вообще пострадала. Артем хотел на мне жениться…

Глава 9

После похорон Артема Дина не страдала, не плакала, она просто как-то ужасно обессилела. Ноги не хотели ходить, глаза не хотели смотреть, болела голова, подташнивало от этой постоянной боли, поэтому она почти не ела.

— Это авитаминоз, — авторитетно сказал Александр и протянул ей большую и красивую упаковку каких-то чудодейственных витаминов.

— Спасибо, — обрадовалась она. — Постараюсь не забывать. Но вообще я привыкла рассчитывать на «само пройдет».

— Темная женщина, — притянул ее к себе нежно Александр. Похудела очень. Это же надо — такая судьба. Два брака, и два мужа, убитые у нее на глазах.

Витамины Дина не стала принимать. Она написала заявление об отпуске за свой счет. Отдала администратору.

— Себе, что ли, написали? — удивился тот, но в бухгалтерию отнес.

Дома Дина в основном лежала. Если бы не Александр, который все взял на себя, она, разумеется, ходила бы в магазины, кормила бы собак, гуляла бы с ними. Привыкла одна все делать. А забота ее совсем расслабила. Без работы Дина потеряла счет дням.

После полудня раздался радостный лай Кляксы, Лорд вообще не лаял. Никогда по лаю Кляксы не ошибешься: это пришел Александр. Дина с нетерпением стала смотреть на дверь. Она по нему скучала. Она себе надоела. Александр вошел не скоро. Раскладывал продукты, занимался собаками: кормил, убирал, выпускал... Потом вошел, сел рядом и прижал губы к ее волосам, как будто тосковал годы. Дина все видит и все понимает. Он старается изо всех сил не целовать ее, не обнимать крепко. Такой, значит, кажется она ему изможденной клячей. Она не больна. Просто навалилась многолетняя усталость. Может, и не стоило прерывать работу.

— Задержали в Москве Валерия Николаева, — сказал Александр. — Сходку тут серьезный криминал устроил. Земцов его взял по подозрению в убийстве Вадима. Пока, конечно, в статусе свидетеля. Но дела у них были непростые, отношения плохие. Преемника Вадима закрыли по заказу именно Николаева. На его месте мог бы оказаться Вадим, если бы был жив... Для Николаева характерно таким образом менять «коллег». Меняет, а его структура возрождается уже как другая, новая.

Дина слушала молча и тревожно.

— Представляешь, какое совпадение, — продолжил Александр. — Николаев, убийца и вор, был в Москве, когда этот парень стрелял в тебя и Артема. Если бы парень скрылся, стрелял бы из укрытия, у следователей почти не возникло бы сомнений, что к этому приложил руку Николаев. У них и с Артемом были очень серьезные разборки. Артем его на чем-то поймал вроде, а он, как все говорят, был из тех «спонсоров», которые спонсируют не просто краденое, но еще и требуют откаты.

— А как это у нас делается — откаты?

— Как везде. Телевидение — серьезный бизнес, спонсор платит не из своего кармана, а отмывает краденое, пытается получить большую сдачу, то есть расходы на бумаге. Так растворяются в тумане и в направлении офшоров большие-большие деньги, а ты поговоришь на разорванных нервах пять минут — и получишь свой скромный гонорар. С Артемом такое не прокатывало. Его исключительное положение в бизнесе связано и с репутацией. Сговора с криминалом нет, хотя без сотрудничества никак не обойтись. Где другие… В общем, отдел Земцова по уши в болоте этого «форума экономистов». Они там все такие. Николаев, кстати, мог бы не уехать живым из Москвы. Считай, спасли.

— Значит, нужно как-то лучше разбираться с этим мальчиком, который убил. Человек не может убить, потому что Аня его попросила. И таких совпадений, как прибытие в это время Николаева, всей этой банды, наверное, не бывает.

— Наверное, бывает. Смотрел я все, что есть, по этому Денису, по Анне Синицыной. Парень как прозрачная колба. Отправят на психиатрическую экспертизу. Ладно, Дина. Давай доверим это следователям. Нам без их материалов все равно не разобраться. Кстати, Анна, сожительница Артема, уже подставила парня. Не так уж важно было ее соучастие в данной ситуации, вряд ли бы повлияло на его срок. Но она отказалась от своих первоначальных признаний. Сказала, что это он все сам решил. Он действительно с самого начала так говорил. Она заявила, что об этом не знала. Узнала… Правильно ее Артем выгнал.

— Да. Совсем плохая история для этого мальчика.

— Дина, этот мальчик мог убить тебя. Давай не будем впадать в крайности. Дети вообще так здорово из взрослых пистолетов не стреляют. Они их даже с конкретной целью не покупают.

— Дети… Александр, нам надо в тот приют. К этой свидетельнице по делу садиста. Я чувствую, что там то же самое, что и у него было.

— Но ты же плохо себя чувствуешь.

— А для этого разве нужно плясать от счастья? Нормальное у меня такое состояние. Злое. И поедем мы на машине. И я давно уже все продумала. Ты будешь выписывать им чек или затягивать перевод на карту, а я там все быстро посмотрю.

— Там может быть охрана.

— Нет. В таких местах не держат лишних свидетелей. Но даже если есть, не вижу проблемы. Деньги принимает владелица приюта. Охрана расслабляется.

— Это может быть не такое, а нормальное место.

— Тем лучше. Хоть капля оптимизма. Заплатим больше. И будем ездить постоянно.

Глава 10

Алексей Чибиряк, брат-близнец Раисы, приехал на своей машине инвалида в отдел по расследованию убийств. Он заметно хромал, потому что одна нога была короче, правую руку держал неестественно: видимо, плохо сгибалась или вообще не сгибалась. Он же говорил, что кости во время операций отрубали, пусть и инвалидность потом сняли…

— Здрасте, — сказал он Славе. — Мне в больнице сказали, что вы должны дать разрешение на похороны сестры. Потому как дело…

— Можно, — сказал Слава. — Сейчас напишу для морга. Для дела все есть. История болезни, причина смерти, фотографии. Убийца взята с поличным, вину признала. Мои соболезнования. Есть на что хоронить?

— Найду. Вроде и выдадут что-то.

— Да, положено. А родители ваши где живут?

— Нигде. Детдомовские мы.

— Откуда же информация, что она старшая сестра? На три минуты?

— Санитарка роддома, в котором нас мамашка оставила отказниками, рассказала. Она к нам ездила навещать. Лидия Петровна. Сейчас старая и больная уже. Не знаю, сможет ли с Раей проститься.

— Понятно. В общем, Алексей, если какая-то помощь будет нужна: позвонить там, договориться — обращайтесь.

— Спасибо. Так я пойду?

— Конечно.

— А что с этой, бизнесвуменшей, которая сестру мою убила?

— Арсеньева находится в СИЗО. К суду мы еще не готовы. Она отказалась давать показания. Вы отказались говорить о том, что знаете.

— Я вроде сказал, что ничего не знаю.

— Да, вы именно так и сказали. Допустим, я вам поверил, хотя, если честно, это не слишком правдоподобно. Теперь я еще больше засомневался. Не просто близнецы — а это уже большая привязанность, но еще и брошены в младенчестве матерью... У Раисы не было подруг, и у вас — друзей.

— Да у меня бы, может, и были, но вы же видите,

какой я... Хожу: три четверти. И вообще, я не понял, к чему вы все это?

— Да так. Дело плохо движется. Как говорит мой товарищ, ниточки одна с другой не связываются.

— Ясно. Так я пошел?

Алексей направился к выходу. Слава негромко сказал ему в спину:

— Арсеньева пыталась покончить жизнь самоубийством.

— Да вы что! — резко повернулся Алексей. — Откачали?

— Да, конечно. У нас хорошие врачи.

— Правильно сделали. Легко соскочить хотела.

— Хотела, — задумчиво сказал Земцов.

Когда Чибиряк вышел, он позвонил заместителю:

— Вася, брат Раисы Чибиряк будет ее хоронить. Узнай, пожалуйста, когда и где. И еще информация нужна. В каком роддоме они родились. Там тогда работала санитаркой Лидия Петровна, я не стал уточнять фамилию, думаю, ты найдешь без проблем. Но если там были и другие Лидии Петровны, позвони Алексею Чибиряку, уточни у него фамилию. Она сейчас на пенсии, болеет. Нет, к ней ходить не нужно. Только адрес, фамилию. Получается, это у них самый близкий человек. Думаю, мы с тобой сходим на эти похороны.

...Весь вечер Алексей Чибиряк мастерил из дощечек рамку. Руки у него были умелые и даровитые. Получилось красиво, несмотря на то что правой рукой он почти не мог работать, только поддерживать. Он покрыл лаком рамку, подождал, пока высохнет, вставил фотографию Раисы. Фотография была старой, там Раиса сразу после школы. В бедном, сиротском платье, с переброшенной на грудь толстой косой. Она улыбалась. Быстро облетели ее густые волосы. Плохо жила, плохо питалась, пила... А девчонкой улыбалась, пела. Хотя и тогда жизнь у них была убогой, полной обид. Одна Лидия Петровна за всю их жизнь только и любила близнецов, наверное.

Алексей поставил фотографию на старый, низкий комод, сходил на кухню и вернулся с двумя стаканами специально купленной сегодня водки. Самогон с запахом бензина и всего-прочего для таких случаев не подходит. Он налил себе и ей. Свой стакан выпил, ее поставил перед фотографией.

— Ты, Рая, не сомневайся, — сказал он, вытянувшись перед ней, как в строю. — Провожу тебя, как полагается. Может, и тетя Лида приедет с тобой попрощаться. А дальше... Жди. Ты ж старшая, выскочила на три минуты раньше.

Глава 11

Земцов долго стоял спиной к Людмиле и смотрел в окно. Потом повернулся:

— Я думаю, как с вами разговаривать, Арсеньева. Вы очень стараетесь не оставить мне выбора. Держать в карцере? Медицинском изоляторе? Поставить круглосуточное наблюдение? Если называть вещи своими именами, то это шантаж. Вы пугаете нас суицидом, хулиганите, когда вас пытаются спасти, вы устраиваете театральные истерики...

— Театральные? — измученно и горько посмотрела на него Людмила.

— Да! Именно! Понятно, что с вашим ребенком случилась какая-то беда. Три года назад он родился, потом якобы умер, но вы его не хоронили. И вообще, никто не хоронил ребенка с таким именем. Бывает множество криминальных схем: подхоронить в заброшенную могилу, просто где-то зарыть. Убитого ребенка! Если дети умирают естественной смертью — это не требуется. Женщина, которая работала у вас кормилицей и няней, утверждает, что девочка была совершенно здорова. Полина прекратила к вам ходить через год. Больше информации не имеет. Была у вас еще одна работница — Раиса Чибиряк. Судя по вашему поступку, именно она в чем-то виновата. Может, уронила, нечаянно убила ребенка. Вы могли тогда договориться: не поднимать шум, не сообщать... Но Раиса уже ничего не расскажет. Как-то у вас появилось фальшивое свидетельство о захоронении с кладбища, где вашу дочь не хоронили. Мы сейчас можем предъявлять претензии всем службам, которые должны отслеживать ситуации с детьми. Но я точно знаю, какое огромное количество детей из благополучных семей исчезает именно так. Потом случайно их находят убитыми. Времени прошло столько, что мы уже ничего не найдем. А теперь слушайте меня внимательно. Повторю: времени прошло столько! Много времени! И все это время вы спокойно и нормально работали. Тихо жили. Ни на кого не нападали, не выли ночами «Вита». В вашем доме очень хорошая слышимость. Вы с соседями вообще не общаетесь. Но они слышат, когда, к примеру, дверь у вас хлопает. Из этого кое-что вытекает для следствия, нет?

— И что же?

— Что-то произошло перед всеми вашими выступлениями. А они подряд. Вы — человек порядка, вашу жизнь легко отследить. В последние годы вы работаете и возвращаетесь домой как часы. А потом к вам приехала Дина Марсель и фактически обвинила в убийстве своего мужа, он же отец вашего ребенка. Неизвестно, когда на самом деле исчезла, погибла ваша дочь, но письмо о ее смерти вы написали за три дня до убийства Вадима Долинского. Вы отлично стреляете. Мастер спорта. В вашем доме оружия нет. Но опять же, прошло два года. Да если бы и было оружие... Дело, которое в архиве, велось небрежно, теперь даже гильз нет. Человек был публичный, рассматривается и версия заказа. Но зачем профессиональному киллеру проходить в подъезд? На видеокамере не написано, что она не работает. Соседи, жена вот выскочила... А вы, к примеру, спокойно могли войти с ним, мило общаясь. Люди ходят в гости к бывшим мужьям, женам. Особенно когда такое горе... Горе с ребенком. Долинский бы вас пригласил, встретив у подъезда.

— Значит, для меня времени много прошло. А для нее нормально? Для такой «убитой горем» вдовы?

— Ваш сарказм не очень уместен. Она была на самом деле убита горем. И, как человек того же цеха, не хотела шума и сплетен. Той накипи, которая могла появиться на данной информации. Многие не хотят публичных разбирательств. Собственно, вы опять уводите разговор в сторону. Все, что нас интересует в убийстве Вадима Долинского, это убийца, стрелявший с близкого расстояния в спину. Это не могла сделать Дина Марсель, которая открыла ему дверь.

Он упал на нее. Пока это единственный доказанный факт.

— Как я понимаю, вы подготовили мне еще одно обвинение?

— Мы просто рассматриваем эту версию. У вас серьезный мотив. Один из самых серьезных — месть. Человек вы сильный и… коварный. На такую казнь способны. Отсюда, возможно, ваше якобы безумное поведение в последнее время. Отвлекаете внимание. Убийство бывшей работницы в состоянии аффекта — это не продуманное убийство известного деятеля. Суд может пожалеть обезумевшую мать, которая не знает или не хочет говорить, как погиб ее ребенок. Отомстить Раисе Чибиряк вы имели столько возможностей. Причем об этом мог бы никто не узнать. Она жила одна, в глухой деревне. Если туда не приехать на своей машине, а прийти или подъехать на попутке, не привлекая внимания… Не сразу бы ее нашли. И не сильно бы разбирались. Да и нанять кого-то вы имеете возможность.

Людмила, это всего лишь версия. Она может стать доминирующей, поскольку вы слова правды не сказали. Понимаете разницу? Вы не просто скрываете какую-то важную информацию, вы врете по любому поводу. А все, как видите, рано или поздно становится явным. Я вновь предлагаю вам сотрудничать с нами. Долинского, разумеется, мог убить кто-то совсем другой, но вы мешаете нам искать. Сознательно и активно. Вы со своим мотивом есть в нашем расследовании о Долинском. Дело Чибиряк вы просто заперли. В деле Долинского могли бы хотя бы сослаться на алиби, которое возможно проверить.

— Когда я к вам вошла, вы думали. Сейчас я подумала. Я подумала о том, чего в жизни еще не делала. Я не сотрудничала с ищейками и вертухаями. Презираю. Начинать не собираюсь. Хоть ведите в карцер, хоть привязывайте в изоляторе, хоть на крючок вешайте. Хорошо держу время? Еще подержу. А потом или признаюсь в убийстве Вадима, или обвиню его шлюху, которая наверняка уже нашла себе следующего. То есть точно нашла. Нам бульварную прессу носят. Тем, у кого есть деньги на карте. Она могла встретить Вадима с объятиями, а любовник стрелять в спину. Скажете, нет?

Глава 12

Валерий Николаев читал разложенные перед ним материалы. Несколько толстых папок. Потом снял очки и посмотрел на Земцова и Кольцова.

— Хорошо порылись, ребята. Ничего не могу сказать. Читал, как будто обо мне уже книгу написали. Прям волновался. Как в песне поется: на свиданье с юностью моей... Ну и что? Дальше что? Слава Земцов, у тебя отдел по расследованию убийств. Ты аж полковник. Рядом с империей в этих папках — ты мизинец на моем ногте. Завтра твой отдел улетит от пары гранат. А дело мое будет и после меня. За то, что вывезли от людей Красина, — спасибо, кстати. Они там точно были по мою душу. Только из этих интересных папок не выйдет у вас ни следствия, ни суда. Сами понимаете почему?

Кольцов встал с подлокотника кресла и подошел к нему.

— Валера, можно я так, по-домашнему, как мизинец с другого твоего пальца? Так вот, Валера, мы, конечно, рядом с тобой — дети малые, и любой твой бандит нас пукалкой прикончит. Но даже малые дети понимают, почему сейчас из этого, очень хорошо нами собранного материала — тут ты прав, как никогда, — не может быть расследований и дел. Ключевое слово «сейчас». Это все попадет к твоим же подельникам, которые еще у кормушки. И тут ключевое слово «еще». Времена меняются. Что-то ваша теплая компания стала ссориться, распадаться. Крутые люди слишком часто вешаются и в окошки прыгают. Мы тебя действительно спасли. Люди Красина к тебе бы даже не прикоснулись. Ты просто оказался бы сегодня в рамочке в газетах как самоубийца от несчастной любви.

— А чего вам вообще от меня надо? — поинтересовался Николаев. — Если денег — пишите сумму. Нет проблем. И только потому, что времени на вас жалко.

— Николаев, — сказал Слава. — В этих материалах, которыми вы так зачитались, красным подчеркнуты факты ваших разногласий с Долинским. Вы взяли его формальным руководителем. Он явно считал вас неучем и вором. О чем и говорят стенограммы ваших рабочих совещаний. Даже они. Интеллигентно, но оскорблял вас. В своем письме к нему вы угрожаете именно убийством, которое и происходит через несколько дней. Весь этот обильный материал нам нужен, чтобы заговорили люди, которые с вами связаны. Полагаю, мы выйдем на киллера. Вы все друг о друге знаете больше, чем кто-либо другой.

А вас некоторые очень не любят. И не так, чтобы вам это было безразлично. Сбежали ведь в Кельн, жизнь свою спасая. Так что давайте по делу.

Вас не устраивал больше Долинский, он требовал самостоятельности в действиях, ему перестали нравиться условия вашего договора… Я посмотрел: действительно, вы какой-то жадный. Ну, и сама его основная профессия — это угроза для вашего дела. Пока все шло хорошо, он его, так сказать, облагораживал, когда начались разборки, мог вас засветить с потрохами. А бывает в таких случаях дело или нет — это русская рулетка. Если кому-то надо, то оно бывает. И вы в курсе не хуже меня, точнее, лучше, я всего лишь полковник, а вы аж профЭссор экономики. Без высшего образования. Так что вы подозреваемый как заказчик убийства Вадима Долинского. Нет желания пойти нам навстречу? Не доставлять лишнего труда с запуском этого огромного количества компромата?

— Пугаете? Мило. У меня есть желание пойти навстречу. То ли нравитесь вы мне, то ли что… Но могу сказать правду. Вы почти попали. Грохнули бы его с превеликим удовольствием, и никто бы ничего не доказал. Есть даже человек, которому я фактически заказал Вадима. Вы бы даже это проверить могли. Если бы этот человек дожил сам до вашего интереса. И не потому, что я боялся каких-то разоблачений Долинского, всей этой ерунды «с потрохами»… Кому это мешает? Он мне лично сильно разонравился. Дерьмовый был мужик. Договаривались мы полюбовно. Понятно, что не наш человек, интеллигент, действительно облагораживал… Согласен был на вполне интеллигентные условия. Но он женился на красивой бабе и зарвался. Он захотел получать, как наш человек. А это не есть порядок. Или мечтай на луну и мели языком по ящику, или проливай кровь за настоящие деньги. Он хотел и первое, и второе. Без проливания крови. Кстати, я даже не хотел, чтобы его убивали. Хотел, чтобы остался инвалидом. Окончательным. Киллер должен был стрелять ему именно в спину. Я даже удивился, когда нас опередил кто-то. Значит, Долинский еще кому-то сильно не нравился. И я был добрее. Как насчет того, чтобы отправить меня в Кельн?

— Пока подождем. Как-то активно с нами сотрудничают свидетели по собранному материалу. Попробуем проверить вашу интересную версию: насчет «опередили». Спасибо. Тут есть с чем работать.

Глава 13

Полная женщина в длинном черном платье и белом ситцевом платочке на голове открыла им ворота в высоком металлическом заборе и широко улыбнулась:

— Я увидела в окно, как едет ваша машина, и сразу поняла, что это вы. Добро пожаловать.

— Удивительно, — так же приветливо улыбнулся Александр, — как вы догадались, Светлана Семеновна? Я отправил вам письмо и только потом сообразил, что не написал слово «сегодня». Но уже выключил компьютер, не хотел время терять. Места эти ваши к тому же совсем не знаю. Ничего не рассчитаешь.

— Знаете, — проникновенно сказала Светлана Семеновна, — я хороших людей по одному слову определю. Вы просто написали «хотим помочь детям». И все ясно.

— Есть люди, которые пишут иначе?

— Конечно. Есть и такие, которые пишут, только чтобы оскорбить. И мошенницей, и воровкой могут назвать. Но об этих даже говорить нечего, сами понимаете. Но чаще пишут: «Привезем деньги», «Заплачу в руки, чтобы знать». А вы — «помочь детям»... Это так деликатно, тонко, такая любовь к детям.

— Но и мы привезли именно в руки. Хотелось бы посмотреть, как живут дети. Да и с ними познакомиться.

— Это понятно. Это конечно. Я просто о том, как люди в одном слове открываются. Дети, правда, сейчас не все дома. Вы же не написали время. У меня есть помощница с машиной. Она возит их в рощу гулять, озеро есть в соседнем поселке, иногда в поликлинику или в храм.

— Все у вас дошкольники?

— Да, знаете, малыши нуждаются в особой заботе. Вас можно называть так, как вы подписались? Александр и Дина?

— Да.

— Пойдемте в дом. Не обращайте внимания, если где-то беспорядок, убираюсь я до поздней ночи. Дом большой, дети.

— Сколько?

— В объявлении у меня написано шесть. Теперь уже семь. Некогда было исправить.

Они вошли в двухэтажный кирпичный дом. Он был довольно новым, с отличной отделкой интерьера, хорошей, добротной мебелью. О беспорядке не могло быть и речи. Безупречная чистота.

— Выпьете чаю? — спросила Светлана Семеновна. — У меня как раз теплые пирожки с капустой и брусникой.

— От чая хотел отказаться, — улыбнулся Александр, — но от пирожков не смогу. А ты, Дина?

— Да, — кивнула Дина. — Я тоже хочу пирожок. С брусникой.

Александр взглянул на нее со скрытым беспокойством. Она была бледной, казалась очень осунувшейся, даже уголки губ скорбно опущены. И губы стали как будто тоньше. Он иногда называл ее рот клубникой. Сейчас — нет, не клубника. Зря он согласился с ней. Дине нужно всего лишь отлежаться, прийти в себя. Она встретила его взгляд, поняла и просто кивнула: все в порядке.

— Светлана Семеновна, сапоги мне, наверное, нужно снять? У вас так чисто.

— Ни в коем разе! Никогда не заставляю гостей снимать обувь. Не настолько мы деревенские, — кокетливо добавила она. — Да у вас чистейшие сапожки, приехали на машине, какие вообще проблемы.

Дина облегченно вздохнула. Она надела сапоги на каблуке. Узенькие, тесно облегающие, на тугой молнии. А у нее здесь сразу закружилась голова. От свежего воздуха, конечно. Их провели в большую столовую. Светлана Семеновна хлопнула в ладоши, и сразу появились две девочки лет семи в светло-голубых платьях с вышивкой. Они внесли расписные блюда с пирожками. Хозяйка включила расписной же электрический самовар, расставила чашки на столе.

— Как вас зовут? — спросила Дина у девочек.

— Лера, Алина, — ответили они практически одновременно.

— Они не сестры? — спросила Дина у Светланы Семеновны. — Похожи.

— Нет. Из разных мест ко мне приехали.

— Лера и Алина тоже не ходят в школу? — спросил Александр.

— Пока нет. Но как вы на самом деле хорошо разбираетесь в детях. Им по семь лет. А по документам — шесть. Так ставят детдомовским из-за отставания в развитии.

— Какое отставание… — почти про себя пробормотала Дина. Между бровями у нее появилась резкая морщинка, виски сжала внезапная боль. — Лера и Алина, вы с нами попьете чаю с пирожками?

— Извините, нет, — ответила за детей Светлана Семеновна. — У нас строгий режим, все рассчитано, выпечка и сладости вне режима исключены.

— Тогда, может, и мы потом? — посмотрела на Александра Дина почти умоляюще. — Голова разболелась, пока не хочется.

— Да, конечно, — сказал Александр. — Светлана Семеновна, Дина на самом деле сейчас не очень здорова. Мы потому и смогли приехать, что она взяла пару недель, чтобы отлежаться. Так что давайте тогда посмотрим дом, комнаты детей, потом займемся нашими делами, тут моя Дина и проголодается.

— Как скажете, — с готовностью ответила хозяйка.

Детские комнаты были на втором этаже. Все та же безупречная чистота. На кроватях светлые покрывала. Ковры тоже светлые. На стеллажах игрушки, выше детские книги, еще выше иконы. На стенах кресты. Александр подошел к письменному столу в одной комнате.

— Неплохой ноутбук. Они уже ими пользуются?

— Пока только учимся, — скромно ответила Светлана Семеновна.

— Вроде бы все понятно. Давайте мы с вами, Светлана Семеновна, здесь и останемся. Как вам удобно получить деньги — наличными или на карту?

— Наличными, — улыбнулась Светлана Семеновна. — Глухомань у нас. Банкоматы не всегда работают.

Они сели за стол. Александр неторопливо достал из кармана бумажник.

— Да, хотел вам сказать по поводу писем с угрозами и оскорблениями. Я — адвокат. Сейчас как раз веду такое дело. Если это не случайность, не чья-то пьяная выходка, а какой-то постоянный человек этим занимается, то есть возможность…

Через пять минут Светлана Семеновна, аккуратно положив пачку денег в конверт, внимательно и напряженно слушала, как удалось привлечь к суду человека за систематическую травлю волонтера, собиравшего деньги на операцию ребенку… История была длинная. Дина спустилась на первый этаж, зашла в столовую. Там стояли пироги на столе. У стены были обе девочки — Лера и Алина. Лера напряженно, не мигая, смотрела на эти пироги. Алина сидела на полу, обняв худые коленки. Она никуда не смотрела. Она просто смотрела в никуда!

Дину качнуло, и она быстро выскочила во двор вздохнуть сырой, еловый воздух. Деревня вся была в соснах и елях…

Глава 14

Общение с Денисом было практически его монологом. Он просто перехватывал любой вопрос Земцова, отвечал безусловным признанием в преступном замысле, если что-то ему самому казалось недостаточно убедительным, он добавлял деталей. Они все были логичны, сложны, исключительно психологического характера. Отношение к Дине Марсель — смесь ненависти и вожделения, отношение к Артему, который ее спас, — злоба и ревность. Видел Дину по телевизору в магазине, где подрабатывает. И постоянно ссылался на литературных героев, исторические ситуации. Слово «Аня» из его показаний ушло совсем.

Слава печатал протокол, Сергей смотрел на парня задумчиво. Никогда не говори себе, что ты все видел и все понимаешь.

— Сейчас за вами приедет эксперт Масленников, — сказал Слава. — Повезет на психиатрическую экспертизу. В институт и хирург подъедет — швы снять.

— Да, конечно, — ответил Денис. — Я думал, что вы забыли про швы. Хотел ножницы попросить: я бы и сам снял.

— К счастью, ножницы у нас никому не дают, — сказал Слава. — Вся твоя проблема, Денис, в том, что ты постоянно хочешь сделать то, чего нельзя.

— Может быть. А мама не приехала?

— Нет. Она задерживается.

— У нее нет денег или она заболела?

— Ни то, ни другое. Какая-то проблема в квартире. Бытовая. Что-то прорвало. Деньги у нее есть. Она сказала, что на жизнь хватало пенсии, а то, что ты присылал, прятала на всякий случай. Она уже даже договорилась с твоей хозяйкой, что будет жить в твоей квартире. Что ты там должен, тоже заплатит.

— А, — облегченно сказал Денис, — это трубы. Это так всегда, всю мою жизнь. Я вам сейчас скажу, что ей нужно сделать, и все будет нормально.

Дальше какое-то время Слава и Сергей внимательно слушали его лекцию-систему. Что-то вроде великих открытий в теории под названием «нищета».

— Я запомнил, — сказал Слава, — передам. Она сегодня позвонит. Вы готовы к экспертизе?

— Не совсем. Мне нужно переодеться. Белье поменять. Я думал, мама привезет. У меня есть в квартире. Вы не разрешите мне звонок? Моей приятельнице, Ане, у нее есть ключ.

— Звони, конечно. — Слава набрал номер и протянул свой телефон Денису. Тот даже не обратил внимание на то, что следователю известен телефон Ани. То, что связь была громкая, его тоже не взволновало.

— Здравствуй, Аня. Это я, Денис. Звоню от следователя. Ты меня узнала?

— Узнала.

— А почему у тебя такой голос: ты опять болеешь или что-то случилось?

— Ты позвонил, чтобы узнать, какой у меня голос?

— Нет. Меня сейчас повезут на психиатрическую экспертизу, а мама еще не приехала. Я к тому, что мне нужно переодеться. Белье там на полке, ты знаешь, где. Майка, трусы. Ты не могла бы привезти? Я был бы тебе очень благодарен. И увидеться хотелось бы. Потом — кто знает, как...

— Ты хочешь, чтобы я тебе трусы тащила в тюрьму? Я в шоке! Правильно тебя в дурку везут. Ты не в себе! Ты убил моего любимого человека, соображаешь?

— Да, действительно. Извини.

Денис вернул Славе телефон, встал. И какое-то время он просто не знал, куда деть свои руки, ноги. Длинные, стройные, но почти детские, они стали ему мешать. Сергей и Слава пристально на него смотрели. Парень такой потерянный, он вообще не знает, что ему сейчас делать, куда идти, как доживать свою жизнь... Восемнадцать лет...

— Денис, тут нет проблемы, — сказал Сергей. — Тебе сегодня же все туда привезут. Сейчас Слава распорядится. И мой совет: о приятельнице забудь. Самое время подумать о себе.

— Я не совсем вас понял, — сказал Денис. — То есть я понял, что вещи мне привезут. Спасибо большое.

Его увели. Сергей положил на стол Славы деньги:

— Пошли, пожалуйста, кого-нибудь, чтобы ему все купили, что нужно. Знаешь, есть сильное желание съездить к этой твари и свернуть ей голову. Чтобы всегда смотрела назад.

— Сережа, не увлекайся. Ты дал парню нормальный совет. Я сейчас подумал, что ее вряд ли стоит вызывать в суд, лучше вообще сводить ее роль в деле на нет. Она там войдет в раж перед журналистами и камерами, начнет рыдать и рассказывать про почти купленный подвенечный наряд. Мы имеем убийцу и чистосердечное признание. Он такой, какой есть. Ситуация его — хуже некуда. Не думаю, что имеет смысл усугублять враньем этой подлой девицы. Да и по ее обстоятельствам это не нужно. Она из маленького города, младшая сестра — инвалид. Не нужна им криминальная слава.

— А ей нужна. Любая. Она в рекламных роликах снимается, раскрутит ситуацию по полной программе. Но вот интересно, что, по-твоему, будет делать в процессе адвокат? Эта Аня — все же зацепка. Поверят, не поверят, она будет врать, но все же может появиться какое-то сочувствие к парню, который так попал…

— Да адвокату уже нечего делать. Денис будет все опровергать. Особенно то, что касается Синицыной. Ты же слышал, как здорово у него получается: аргументы, мотивы. Вся надежда на диагноз.

…Аня горько рыдала, лежа на голом полу. Она туда сползла от страха, когда Денис позвонил. От следователя! Он же совсем не понимает, что они и ее хотят в ловушку заманить. Денис никогда не поймет, что она его предает и лжет от страха. Он не знает, что это такое. Он не такой человек, как все. А она — такая, как все. Но у нее уже глаз нет, так опухла от слез. Она его жалеет. Это ужас, но она совсем не жалеет Артема, которого так вроде любила. Она все время вспоминает только обиды и унижения из-за него. А этого мальчика, красивого, как бог, она жалеет до разрыва сердца. Она послала его на убийство, потому что идиотка. Она, возможно, послала Дениса на смерть. Как он вынесет то, что ему предстоит. Там же бандиты и убийцы на этих зонах. А он жизнь видел только в книжках. Она Дениса не любила, конечно. Следак ей сказал, что у нее мог бы быть сын немного старше. Вот как сына, убитого собой, она его и жалеет. Но у нее Валечка, мама, папа... Ей надо им помогать. Денис взял все на себя, пусть так и будет. И они никогда не увидятся. Слезы кончились, а рыдания продолжались, больные, сухие. Аня в отчаянии прокусила себе ладонь и размазала кровь по лицу.

Глава 15

Позвонил телефон Александра. Он увидел номер Дины.

— Саша, быстро иди сюда. И надо вызывать полицию. Идешь на задний двор, там кусты, потом курятник, а дальше... Ты меня увидишь. Быстро!

— Светлана Семеновна, — встал он, — я на несколько минут выйду. Дине стало нехорошо на воздухе. Сейчас приведу ее.

Глаза Светланы остекленели. Она быстро сорвалась со стула, опередила Александра, оттолкнула от двери, выскочила и повернула ключ снаружи. Он услышал топот ее ног по ступенькам. Дверь он, конечно, вышиб, но время потерял. На первом этаже даже не пошел к входной двери, понятно, что и эту закрыла. Он вбежал в столовую. Там были две неподвижные девочки — Лера и Алина. Одна стояла, другая сидела у стены.

— Девочки, спрячьтесь куда-нибудь, — сказал он. — Я скоро за вами приду.

Они не шевельнулись. Александр сдернул плед с дивана, завернул руку и выбил стекло в широком окне. Выпрыгнул и легко нашел кусты, курятник, а рядом... Что это? Светлана стояла на четвереньках на куче навоза, а Дина — Дина! — била острыми каблуками своих сапожек ее по рукам и ногам. Рядом лежали какие-то тряпки.

— Саша, быстрее! — закричала Дина. — У этой гестаповки очень сильные руки. Хорошо, что удалось ее столкнуть сюда.

Александр рванулся к Дине, но она быстро проговорила:

— Нет, я ее удержу. Возьми... это лежит ребенок. И срочно звони в полицию.

Александр поднял постанывающий сверток в грязной тряпке, первым делом набрал Кольцова:

— Сережа, пиши адрес. Подними сюда всех, кого можешь. И полицию, и бандитов, да хоть всю тюрьму... Тут такое... Главное, быстро.

В это время Светлана истошно завопила:

— Толя! Бегом сюда! Они на меня напали!

По дорожке к ним медленно, не очень уверенно шел крупный мужик в камуфляже. Александр полез в карман за электрошокером — это единственное, что он носил для самообороны. Ребенка прижал левой рукой к груди. Но мужик, рассмотрев сцену, быстро побежал к воротам. Раздался звук включенного мотора. Сбежал подельник. Александр снял свой шелковый шарф и сказал:

— Дина, возьми ты ребенка. Я свяжу этой руки. Сильные, говоришь?

Он опрокинул Светлану на спину и скрутил ее руки. Повернулся к Дине:

— Боже, Дина, у тебя такие глаза... Что там?

— У меня в глазах ад. Там концлагерь. Дети прикручены к деревянным нарам. Одна девочка привязана к столбу. Она мертвая, Саша. И эта малышка... Я вытащила у нее изо рта кляп. Ротик разорван.

Александр в несколько прыжков преодолел расстояние до сарая за курятником. Щеколда от двери валялась на земле. Дина ее сорвала! То, что он увидел... Он вернулся.

— Дина, неси ребенка в дом. Ему же холодно. Он мокрый, он может простудиться. Сделай что-нибудь. Заверни, дай теплой воды. Там две девочки, пусть ждут. Сюда едут.

Когда Дина побежала к дому, Александр поднял Светлану. Он впервые в жизни бил женщину по лицу. Так сильно и жестоко, как никогда не ударил бы в драке мужчину.

Глава 16

С утра Слава и Василий Кондратьев были на кладбище, где Алексей Чибиряк хоронил сестру. Кроме него и рабочих, над вырытой могилой стояла еще только одна, очень старая женщина. Она плакала и гладила руки Раисы в открытом еще гробу. Все закончилось быстро. Слава пожал руку Алексею, сказал слова соболезнования. Василий подошел к старухе:

— Лидия Петровна, давайте я вас отвезу.

Женщина взглянула на него благодарно:

— Ой, спасибо. Мне трудно добираться, правда. Вы, наверное, знакомый Алексея?

— Ну да. Меня зовут Василий.

Алексей пошел в контору оформлять документы на памятник. Слава шел медленно, чтобы не обгонять Василия, который поддерживал под руку Лидию Петровну. Под ноги сползала скользкая грязь: так выглядит весна на кладбищах. На бедных кладбищах.

— Понимаешь, Васечка, — продолжала плакать Лидия Петровна. — Я их обоих в эти вот ладони приняла. Двойня, ночь, выходной. Один врач, одна сестра. Они помогали матери, а я руки ковшиком внизу держала, чтобы ребенок не выскользнул... Такие удачные дети получились. Я как-то сразу запала. И мать вроде была нормальная. И вдруг заведующая говорит, что она написала отказ и ушла... Вот с тех пор, наверное, и плачу. Что я могла? Уже тогда был пенсионный возраст, родственников нет... Пока они были в роддоме, смотрела, чтобы кормили вовремя. Просилась посидеть рядом. Давали поносить. А потом повезли по детским домам да приютам. Спасибо, что не разлучили. Сначала дом малютки, потом дошкольный детский дом, потом школьный... Они молодцы такие были. Алеша честно и храбро служил, ордена есть. Рая бралась за любую работу. Свои домишки сумели купить. Я, конечно, помогала всем, чем могла. И вдруг... Что ж это за изверг такой, Вася, с Раечкой это сделал? Раечку не узнать... Ты не слышал?

— Ну, так, в общих чертах. Я, Лидия Петровна, все вам дома расскажу. Чаю, надеюсь, дадите? Холодно тут как-то.

— Конечно, я прямо не знаю, как тебя благодарить. У меня и наливочка есть вишневая. Помянем мою девочку... Алеше сегодня не до меня. Ему вообще в последние годы не до меня. Пьет. Плохо с ним поступили.

Вася посадил Лидию Петровну в машину, они уехали. Земцов сел в свою машину и поехал в отделение.

У кабинета столкнулся с Масленниковым.

— Приветствую вас, Александр Васильевич, — сказал Слава. — А я боялся, что вам придется ждать.

— Нет. Совпали. Я, как всегда, с предварительной информацией, акт будет потом. Надо очень подумать, как написать.

— Неужели Василевский вменяем?

— И диагноза нет в помине, и все показания в твоих протоколах — ложные. На самом деле — это просто чистое вхождение в образ, такой глубокий анализ придуманных мотивов, что не подкопаешься. Если нет других источников информации.

— Их больше нет. Наверное, нам не стоит напирать на то, что они ложные, — сказал Слава. — Вернут на доследование, и выйдет из этого пшик. Настоящий мотив — это не мотив, это яичная скорлупа. Лепет младенца. Да и не признается Василевский. Будет до упора стоять на своем. Что девка его не просила. Заходите, Александр Васильевич. Уже самому интересно.

Масленников бросил на спинку стула свою вечную куртку, сел, раскрыл столь же вечный портфель… Закрыл.

— Да, собственно, сами опросы нечего и показывать. Пока все в таком виде, что трудно разобраться. А что, Сережа не приедет?

— Он собирался. Но, как всегда, повезло. Его клиенты — Дина Марсель и адвокат Александр Гродский нарыли настоящий детский концлагерь. Я вчера туда посылал и наряд, и МЧС, и «Скорые». Дело открываю я, поскольку одна девочка умерла. Смерть неестественная. Это уже для вас работа. Все дети нуждаются в экспертизах и реабилитации. Документы на них странные, да и не на всех есть. Не исключена торговля детьми, они могут быть украдены и все такое-прочее.

— Кошмар… Как же это все? Но хорошо. Тут мы постараемся. Правильные вообще-то клиенты у Кольцова, раз нарыли.

— Баба особенно и не скрывалась, что в таких случаях всегда поражает. По всему Интернету, в газетах, по ТВ не один год сшибала большие деньги. Платные и бесплатные объявления с одной и той же фотографией. Из-за жадности прокололась с адвокатом и журналисткой.

— Ее взяли?

— Конечно. Подельник в розыске. Прямо со двора смылся. Мы ее взяли элегантно, как даму, а вот большой интеллигент и аристократ адвокат Гродский до приезда наших людей прилично так дал ей по морде. Она у меня орала, что подаст на него в суд.

— Самое верное решение при ее картах. Ты ей не объяснил, что с лица воду не пить?

— Ничего я ей не объяснял. А то знаете… Дурной пример заразителен. Я вам потом покажу фотографии детей и этого чулана… Так что с нашим «Раскольниковым»-то? Не шизофреник?

Александр Васильевич погасил сигарету в пепельнице. Из-за того, что он давно уже пытается сократить их количество, он докуривает каждую до самого крошечного «бычка». Кончики его длинных и тонких пальцев хирурга — желтые.

— Знаешь, Слава, почему я тебе не стал показывать результаты опросов и тестов, заметки, расчеты из квартиры Василевского? Ты не обижайся, но ты бы мало что понял. Я — профессор, дважды доктор наук, разбирался в его записях со специальной литературой. И открытых вопросов множество. Ответить на них может только он сам. Он читает по шесть книг сразу — и все запоминает. Параллельно может пересчитывать уравнения в работах нобелевских лауреатов и приходит к другим результатам. Мне, конечно, не хватает знаний, но в каких-то местах он точно прав. Мы слишком ограничены, у нас мало возможностей в этой экспертизе. Психика очень привязана к интеллекту. А с таким интеллектом нам работать не приходилось. И не нам вообще с ним работать…

— Гений, что ли?

— Я обойдусь без штампов. Гениями кого только не называют. Василевский — личность с практически необозримыми возможностями интеллекта.

— А я не обойдусь без штампов. Гении ведь бывают психами, разве нет? Я читал и про Эйнштейна, и про Ландау... Такие забросы.

— Слава, забросы сверходаренного человека — это не диагноз. Они просто не такие, как все остальные. Они за рамками стереотипов.

— Но я никогда не слышал и не читал, чтобы гений пошел убивать человека. Написано же: «Гений и злодейство несовместны».

— По поводу этой фразы отвечу, как отвечает на большинство вопросов Денис. Это высказывание не является строгой теорией. И «гений» — не строгий термин, и «злодейство» может трактоваться поразному.

— Не... Вы уж меня тут не путайте настолько. Человек сознательно грохнул другого человека, который ему ничего плохого не сделал. Он видел его только на фотографии. А шел он убивать хорошую, умную и красивую женщину, которая тоже никому ничего плохого не сделала. Не злодейство?

— Ужас, конечно. Но этот восемнадцатилетний парень верит только в систему своих ценностей. В них главной была и есть — преданность девушке, ее желание. Все остальное — не так важно. Даже жизни. Даже своя. Как-то так получается. Если бы он влюбился не в истеричку, если бы он вообще не влюблялся, то через несколько лет мы бы услышали о каком-то его открытии. Если бы он после школы мог поступить в Кембридж, Гарвард, то уже наверняка был бы известен. Идея убийства сама по себе в принципе никогда бы не возникла в его голове. Он принял ее как необходимое условие счастья своей девушки. Ключевое слово «условие». Решил задачу. Слава, в уголовном деле для него нет смягчающих обстоятельств. И на этом у меня все.

— Черт. Как-то жалко. Это максимум. Сумасшедшее убийство несумасшедшего человека. Мальчишки по сути. Слишком красивого для зоны.

Глава 17

Вася Кондратьев вошел к Земцову, сел в кресло и зевнул, прикрыв рот.

— Прошу прощения, но я как-то расслабился у этой Лидии Петровны. Щи она классные варит. Наливочкой угостила, подушками со всех сторон на диване обложила. И говорила, говорила...

— Ты был в состоянии вникать?

— Я был даже в состоянии записать на диктофон. Сейчас найду нужный кусочек. Скажу только, что перед этим я ей все сообщил об убийце Раисы Чибиряк. Слава, она настолько в курсе насчет Арсеньевой, что выложила все, что знала. А знает она о них много. Брат и сестра стали людьми одинокими и пьющими. Ее считали близким человеком. Так оно и было всю их жизнь. Она и лечила, и подарки возила, и деньги давала. Даже на выпивку, так жалеет... Вот.

— Это Людмила Раечку убила? — раздался дрожащий и звенящий голос Лидии Петровны. — Так она убийца по жизни и есть. Я давно это знаю. Она ребенка своего хотела убить. Рая к ней убирать ходила, а Людмилу муж бросил. Она ребенка грудью не кормила, а потом вообще сказала Рае, чтобы та девочку убила! Ты представляешь, Вася? Родную дочку!

— Раиса убила?

— Ты что! Рая была добрым человеком. Она же сирота… Она ее обманула. Сказала, что убила, а сама спасла!

— Это она вам такое сказала?

— Это и Алеша потом рассказал. Она забрала ребенка, сказала Людмиле, что убила, я даже сама ей деньги давала на справку с кладбища. А Рая нашла добрую женщину, которая держит сирот. Алеша отвез ребенка к этой женщине. Прошло два года! Видно, Людмила испугалась, что Рая сообщит куда надо. Вообще Рая могла позвонить ей. Она так делала пару раз точно. Мне говорила, что деньги с Людмилы за молчание брала. «А чего? — говорила, — мне эту убийцу жалеть? Она богатая».

— Так! — воскликнул Земцов. — Это просто гениально, Вася, то, что ты сделал. Не обращай внимания на мой высокий стиль. Это мы с Масленниковым о гениях потолковали. Посмотри, что у меня есть. Это по тому подпольному детскому, так сказать, «приюту», о котором я тебе говорил. Вот ребята раскрыли финансовые расчеты хозяйки: приходы на карту и расходы с нее. Небольшой список владельцев карт, которым она регулярно переводила деньги, как, к примеру, своему «охраннику» Анатолию Иванову, которого, кстати, взяли и везут сюда. Так вот предпоследняя в списочке — Раиса Чибиряк. Есть серьезные основания полагать, что она занималась кражей-продажей детей. Там могла побывать и дочь Людмилы. Сейчас я попросил помощь, люди туда поехали, будут разрывать все во дворе и за ним. Искать могильники. В таких местах они всегда есть. Раиса получала деньги до недавнего времени. Всегда небольшую сумму и всегда одинаковую — десять тысяч. Я так понимаю, это такса. Что Цуко дальше делала с этими детьми, выясним.

— Это у нее фамилия Цуко или ты ругаешься?

— Фамилия. Бог шельму метит по-всякому. В общем, ищут ребята по фотографиям детей, сравнивают с пропавшими. Их всего семь сейчас, у этой... Считая мертвую. Но дети меняются: постоянные перепродажи, смерть. Надо с ней плотно работать.

— Так что же получается? Ни фига она не спасала? Знала, кому продает?

— Однозначно. Думаю, что и брат знал, кому возил. Его в переводах нет, но, возможно, давала наличными. Может, доставка входила в сумму Раисы.

— Арсеньева заказала такой бабе своего ребенка?! Тварь! Убил бы.

— Подожди. Что-то я засомневался. Не вяжется. Грудное молоко, говорит, полезнее смесей, потому кормилицу наняла. Муж и тогда бросил. И вдруг... Убить... Кормилица ходила до года. Это уже человечек сознательный. Легче всего убить сразу, новорожденного. А такого... Назвать Вита — жизнь, выть по ночам на всю тюрьму «Вита»... Я подозреваю ее, конечно, в убийстве Долинского из мести, она на это способна, даже на симуляцию этих истерик по дочке... Подозреваю, но допускаю, что перестала себя сдерживать. Что там произошло? Как вытрясти из этой каменной бабы? Ладно, Вася, я пошел смотреть информацию по детям.

Глава 18

Людмила спала, и ей чудилось, что она тонет в липком растворе. Руку, ногу невозможно поднять, схватились, как сильным клеем. Она с усилием подняла веки. Да, почти. Она вся — в липком поту. А мозг вдруг заработал сразу четко и ясно, как будто очистился в этом ее душном и смрадном закутке. И она вспомнила тот день, ту ночь, то утро... Ту дату, которую заставила себя забыть напрочь.

Она уже кормила девочку жиденькими кашами и смесями. Вита говорила «мама» и «Поля», почти никогда не плакала, всегда ей улыбалась. Людмила часто думала, что она всем похожа на Вадима: характер открытый, добрый, глаза ясные, карие, большие. И это ее счастье, что она не похожа на Людмилу, комок желчи, боли, обиды. Да и внешне Людмила себе страшно не нравилась.

А потом она просто хотела послушать погоду по телевизору. А попала на передачу Дины, не смогла заставить себя сразу выключить. Ей казалось, что за спиной Дины стоит Вадим. Она понимала, что так может быть, но такой кадр, где он виден, не оставят для эфира, но все равно смотрела, уже почти маниакально. И полетела вверх ее проклятая температура. К вечеру добиралась до своей кровати ползком. Была только одна мысль: «Никого не вызывать. Заберут ребенка. Вадим со своей бесплодной женушкой лишит прав».

Вечером приехала Раиса, открыла дверь своим ключом. Подошла к кровати Людмилы, сказала:

— Ничего себе. Да вы горите вся. Может, заразное? К ребенку не подходили?

— Прошу тебя, Рая, зайди к Виточке, ее надо искупать, теплой водички дать на ночь. Ты умеешь?

— Здрасте. Я по всему поселку детей нянькаю. Побуду тогда, пока вам лучше не станет… Просто…

— Я заплачу тебе за ночь.

Ночью жар сжигал тело Людмилы, ее череп, казалось, трещал, как горшок, брошенный в костер. Людмила, будто со стороны, слышала свое бормотание. Она что-то быстро говорила. Потом провалилась в сон. Проснулась поздно, совершенно обессиленная. В квартире странная, абсолютная тишина. Она встала, качаясь, вошла в кухню. Раи не было, денег, которые Людмила ей оставила на столе, тоже не было. Людмила поплелась в детскую. Кроватка Виты была пустая!

Дальше она ничего не помнила все эти годы. Не хотела, вытряхнула. Вспомнила посекундно и по словам только сейчас.

Она набрала номер Раисы:

— Рая, Вита у тебя? — Это был совсем спокойный вопрос: нормально увезти ребенка на время, если мать так заболела.

— Да… Можно сказать и так.

— Я не поняла, что значит: «можно сказать»?

— Люда, ты что забыла: ты всю ночь меня уговаривала убить твою дочку. Ты говорила, что все равно это сделаешь сама.

— Так… И что?

— Я это сделала. Ради тебя и ради того, чтобы дитя не мучилось с такой матерью.

— Как я тебе это сказала?

— Ты кричала: «Она не должна жить! Ни минуты! Ее даже отец предал!» Люда, если никто не узнает, тебе ничего не будет. Я еще и потому.

— Где Вита?

— Вот ты опять с ума сходишь. Так нет ее.

— Где мертвая Вита?

— Ты хочешь ее хоронить? Я бы не советовала. Тут-то ты и попадешься.

— Нет! Нет! Нет! Я не буду хоронить убитого ребенка. Никогда не появляйся, никогда не говори мне о ней.

Людмила пролежала без сознания, с короткими возвращениями в полутуман, как минимум три дня. Потом поднялась и, падая, начала скрести квартиру. Она ни о чем не думала. Раиса несколько раз звонила, требовала денег перевести ей на карту. Людмила переводила. Она верила, что могла такое кричать. Когда вышла на работу, сначала сказала, что отправила девочку в деревню к родственникам, потом сообщила, что ребенок там умер от инфекции. Там и похоронили. Бумажку с какого-то кладбища, которую прислала в конверте Раиса, она просто спрятала от себя подальше, в самый дальний ящик шкафа…

И вот сейчас она вспомнила ту ночь. Она не кричала! Она просто говорила дословно следующее:

— Мне не так обидно, что он предал меня, но девочка так похожа на него… Такая красивая, удачная. Она не должна была бы жить с такой матерью, как я, ни секунды. Как мне возместить то, что у нее такая судьба? Отец — предатель, мать — злая, бесчувственная кляча… Но я выкарабкаюсь, я что-то придумаю. Скажу, что он в космос улетел… Вита будет счастливой.

Вот что она говорила! Это даже тупая Рая не могла понять, как приказ убить! Боже, воскреси Райку, чтобы можно было убить ее еще раз. Она убила ребенка, чтобы получать от нее эти небольшие деньги за «молчание»!

Глава 19

Александр шел по коридору частной клиники доктора Масленникова, и на него налетела Дина в халате медсестры и голубом платочке на голове.

— Так, — придержал ее Александр. — Если бы я тебя сейчас не схватил и не заговорил, ты бы понеслась дальше, подумав, что споткнулась о столб.

— Привет, милый, — обрадовалась Дина. — Да, наверное, полетела бы дальше. Понимаешь, у девочки сейчас всякие процедуры, в промежутках — капельное кормление, в смысле, я даю буквально по каплям. Рассчитали с врачом. Это дистрофия, дать немного больше опасно, пропустить раз — смертельно опасно.

— Мне можно войти к ней?

— Знаешь, лучше пока не нужно. Она очень боится всех — и сестер, и врача. Прямо дрожать начинает. Меня принимает.

— Сложная ситуация. Ты ее так и называешь — «девочка»? Она свое имя не знает? Вообще говорит?

— Она молчит. Но мне кажется, все понимает. Не говорит, как зовут. А кто ее там по имени звал?.. Я называю «девочка», «птичка», «кошечка». Она раз даже улыбнулась.

— Дина, ты понимаешь, насколько это сложная ситуация? Что я имею в виду? Ты привязываешься, к себе ее приучаешь, а кто эта девочка, ребята Земцова ищут в списках украденных детей. Как и прочих.

— Она может быть и сиротой.

— Тогда надо искать дом ребенка, откуда отдали в такие «добрые руки».

— А эта... ничего не говорит?

— Светлана Цуко пока дает гладкие показания, которые невозможно проверить. Кого-то нашли, она не помнит где, привезли к ней, она не помнит кто. Примерно так. Подельника ее арестовали. Того, который тогда сбежал со двора. Мне кажется, именно он и начнет сдавать хозяйку с потрохами. Похож на такого. И еще одна крайне неприятная вещь. Две девочки, которые были в доме тогда — Лера и Алина, — рассказали, что их иногда на машине возили к богатым дядям и велели делать все, что те скажут. В противном случае Цуко грозила избиением.

— Боже. Я предполагала. Нашу девочку проверяли и в этом смысле. Ее не насиловали по крайней мере. Только гематомы от избиений...

Александр хотел что-то сказать, но передумал, поцеловал Дину в щеку и пошел к выходу. Это ужас. «Нашу». Как безошибочно судьба расставляет Дине ловушки и с какой верностью себе она в них попадает. Он почему-то уверен, что этот ребенок украден.

Он был уже за рулем, когда позвонил Сергей:

— Привет, Александр. Как у вас дела?

— Был в клинике у Масленникова. Захотелось повидаться с женой. Дина там хлопочет вокруг малышки из приюта, придумала капельное кормление, обо мне забыла.

— Но, может, это хорошая вещь — «капельное кормление»? Что-то мне капель захотелось.

— Приезжай ко мне. Накапаю. Есть кое-что.

— Да я без вопросов, конечно. Тем более это так гуманно: скрасить положение человека, жена которого хлопочет вокруг найденного младенца. Но я вообще-то звоню со встречным приглашением. И тебе, и Дине будет интересно. В общем, подъезжай сейчас к Земцову. Та ситуация, которую я всегда призываю. Ниточки сами по себе оживают и связываются в узелки. Сами! Есть безумно интересное предположение, результат увидим вместе, если ты не против.

В кабинете Земцова, кроме него, были Сергей и Василий. Сергей сидел за компьютером, что-то сосредоточенно искал. Слава и Василий раскладывали на столе распечатанные фотографии детей. Все просто кивнули Александру.

— Ну вот, — сказал Слава. — Можно ее приводить.

Минут через десять ввели Людмилу Арсеньеву.

— Арсеньева, подойдите к столу, — сказал Слава. — В верхнем ряду вы видите снимки вашей дочери Виктории. Они из галереи в вашем телефоне. Понятно, что ребенку от месяца примерно до года на разных фото. А теперь посмотрите нижний ряд. Здесь разные дети. Они в плохом состоянии, но мать узнает…

Людмила долго и сосредоточенно рассматривала фотографии, потом схватила один снимок и подняла на мужчин такой взгляд, который никто бы не взялся определить словами.

— Это Вита! Она худая, как скелетик, в синяках, она меньше, чем тут, в год… Но ей больше! Значит, Райка ее не убила тогда?

— Она ее вообще не убила, Людмила. Просто продала. Девочка жива. Она в больнице, — сказал Слава.

Людмила медленно и строго встала на колени перед этим столом. Сильные, крупные руки были опущены вдоль длинного, прямого даже в этой позе тела. Мужчины молча поднялись перед ней. И опять же: даже Масленников не разгадал бы тайну этого гордого лица.

Александр и Сергей быстро шли к машине.

— Поехали скорее, Сережа. Теперь накапать нужно и мне. Бедная, бедная моя Дина. Она так надеялась, что девочка-сирота. А она дочь возможной убийцы ее мужа.

— В любом случае ребенок долго будет сиротой. Арсеньеву ждет тюрьма даже за Чибиряк. Хотя по открывшимся фактам у нее теперь много смягчающих обстоятельств. Но ее можно лишить родительских прав в результате такой истории и судимости… В интересах ребенка.

— Плохо это, Сережа, очень плохо. Но… Как Дина скажет. А вот как ей это сказать, даже не представляю. В общем, давай мы выпадем из этой ситуации с тобой.

— И из всех остальных тоже, — с готовностью поддержал Сергей.

Глава 20

Денис вернулся в СИЗО. Его привели в камеру человек на двадцать. Дали сверток со свернутым одеялом, тонкой подушкой, показали место. Он сел, сверток положил рядом. Задумчиво рассматривал новые «хоромы». Потом встал, подошел к металлической двери и постучал. Открыл контролер:

— Чего тебе?

— Здесь должна быть библиотека, я читал. Мне туда нужно.

— Вот так прям приспичило сильно?

— Да, сильно.

— Ладно, спрошу у начальника, у следователя твоего. Можно ли тебя туда пускать. Из дурки вообще привезли. Еще спалишь там все.

— Нет. Я книги не поджигаю. Да и нечем мне, вы могли бы догадаться.

— Странный ты, — заключил контролер и закрыл дверь.

Через час пришли другие обитатели камеры. Кто с допросов, кто с прогулки, кого-то использовали для работ.

— Гляньте, — удивился крупный мужик. — Пацана какого-то нам привели.

Денис поднялся, поздоровался, сказал, как его зовут.

— Денис? — с иронией спросил пожилой человек с массивным лицом со свежими шрамами. — А чего тебя к нам? Мест других, что ли, нет? Тут обвинения серьезные. А ты, наверное, такое страшное преступление совершил — шоколадку в магазине спер?

— Нет, — ровно ответил Денис. — Шоколадку я не брал. У меня две статьи. Покушение на убийство и убийство. Покушение на известную тележурналистку, убийство известного телемагната.

— Ты так шутишь? — в тишине спросил мужчина со шрамами.

— Нет, все правда.

— Нифигасе, пацаненок, — выдохнул кто-то.

Земцов шел по коридору, хотел посмотреть, как устроили Дениса.

— Вячеслав Михайлович, — обратился к нему контролер. — Там ваш, этот, которого из дурки привезли, просится в библиотеку. Ему вообще можно?

— Нужно, — ответил Слава. — Насчет дурки, бросайте вы эту ерунду разносить. Психиатрическую экспертизу проходит большинство заключенных. У Василевского серьезные обвинения. Это было необходимо. Он совершенно нормален, сообщаю на всякий случай. На тот случай, чтобы тут не было никаких издевательств. Парню восемнадцать лет. Любые развлечения со стороны заключенных и персонала будут иметь жестокие последствия.

— Понял. Уж и спросить нельзя.

Контролер открыл дверь камеры, и они увидели такую картину. В центре, у стола, сидел Денис и что-то чертил на листке бумаги ручкой, которые ему дали. Объяснял что-то. Остальные — взрослые и немолодые мужчины — внимательно смотрели и слушали, как в школе на уроке.

— И все, — сказал Денис. — Тесноты не будет, если мы так сделаем. Появится ощущение простора и воздуха. Это один из классических принципов архитектуры.

— Слушай, — произнес мрачный сокамерник. — А ощущение свободы ты нам нарисовать не можешь?

— Каждый человек свободен, — ответил Денис. — В любой ситуации. Внутренне свободен, разумеется.

А в остальных отношениях все в той или иной степени ограничены и зависимы.

— Добрый день, — произнес Слава. — Ничего, что я прервал ваше интересное занятие? Денис, я пришел посмотреть, как ты устроился.

— Хорошо, — сказал Денис. — Мама приехала?

— Завтра приедет.

— А что вам сказали по поводу моей психиатрической экспертизы?

— Мне и сказали. И уже написали. Нормальный ты абсолютно.

— Конечно, — улыбнулся Денис. — Но мы там так хорошо обо всем поговорили.

— Ты понял, о чем речь? Это значит, по всей строгости закона. Если ты хоть как-то не начнешь защищаться. Адвокат отказывается с тобой работать. Ты ничего не принимаешь, никакие предложения.

— Что же тут поделаешь, — грустно сказал Денис. — Если нет ни одного обстоятельства, которое бы меня немного оправдало. Ни одного!

— Подставили пацана, гады, — сплюнул себе под ноги мужчина со шрамами.

Глава 21

К дому, в котором жил Алексей Чибиряк, Земцов приехал один. Хозяин открыл сразу.

— Здрасте. — Он посмотрел растерянно. — А что?..

— Алексей, надо все рассказывать, потому что мы и так практически полностью в материале, и собираться…

— А что собирать?

— Сменные вещи и желательно орудие убийства. Короткоствольный пистолет, из которого вы убили Вадима Долинского. Мне почему-то кажется, что вы от него не избавились. И что отдадите сами, потому я и приехал один, без группы. Хотя ордер на обыск есть.

— А что вы вообще сейчас сможете доказать? Через столько времени? Если, к примеру, нет у меня ничего.

— Мы можем доказать связь событий. Да, время было упущено, вы вообще не были в поле зрения следствия. Но время проходит, что-то забывается, конечно, а наука идет всегда вперед. Эксгумация тела Долинского показала, что по расположению пулевых ранений и другим деталям убийца был левшой, он шел почти рядом с жертвой. А тремя днями ранее Людмила Арсеньева сообщила Долинскому о том, что его ребенок умер. После этого письма он приезжал к ней узнавать подробности, потом был у вашей сестры, потом у вас… Все это мы узнали, восстановив разговоры с вами по его телефону. Судя по ним, Раиса ему сказала, что ребенок убит по приказу матери, что хоронили вы. И она, и вы отказались показать место захоронения. И тогда он сказал Раисе: «Я не буду обращаться в полицию. Я просто найму людей, которые тебя на ленточки порежут, убийца».

— Да, этот чмошник угрожал Раисе. Рая приехала, плакала. Она говорила: «Кто он и кто я. Он меня как муху прихлопнет, никто и не узнает». Он и мне пургу всякую гнал, этот Долинский. Но меня не испугаешь. Рая... А кто еще у меня есть? Старшая сестра.

— Да, помню. На три минуты. А почему вы не показали Долинскому место захоронения его ребенка?

— Так не было его. Рая же просто спасла от этих извергов девочку.

— И вы помогали ей спасать?

— Да, я отвез к женщине одной.

— Заходили к этой женщине?

— Нет, у меня ее взял мужик, охранник, Толян.

— Знаете его неплохо, да? Это был не первый и не последний ребенок, которого спасла ваша сестра, а вы отвезли к этой женщине, Светлане Семеновне Цуко, так?

— Да. Рая и потеряшек находила, и отказников, как мы с нею, и других несчастных...

— Вы в курсе, что она за каждого ребенка получала одну и ту же сумму?

— Да. А что такого? И мне Светлана давала на бутылку. Дело-то хорошее.

— Уверен?

— В смысле?

— Пошли в комнату, в этих твоих сенях я и тебя плохо вижу. А мне нужно, чтобы ты фотографии посмотрел.

В комнате Алексей с недоумением рассматривал снимки страшного чулана, привязанных к деревянным нарам детей, мертвой девочки, прикрученной в наказание к столбу, маленького ребенка с надорванным ртом и следами побоев.

— Это что? Я не понимаю. Как у фашистов каких...

— Это ваша добрая женщина Светлана. Вот она в наручниках на фоне этого чулана. Вот ваш Толян, тоже в наручниках. Уже дает показания вовсю. Он и сказал, в частности, что Раиса прекрасно знала, кому и на что продает чужих детей. Она их попросту воровала. И ребенка Людмилы Арсеньевой она тоже украла. Та была больна, с высокой температурой, она не говорила ей убить ребенка. Просто потом ваша сестра умело ее запутала, воспользовавшись депрессией, горячкой, личной драмой.

— Я не верю. Рая не могла.

— У вас будет много времени для изучения материала. Его тоже много. Кстати, вот этот ребенок с разорванным от кляпа ртом — это и есть Вита Арсеньева, которую вы «спасли». Как ты убил Долинского?

— Подождал у подъезда, сказал, что расскажу, как дело было. Он говорит: у жены день рождения, но давай без нее поговорим, на балконе. Пошли к их квартире. Да, не выбросил я свой коротковол. Дорогой он мне. Трофейный. «Кольт-191». В подполе.

— Пойдем за ним вместе, пожалуй.

— Да ты че, друг... Не доверяешь? Я не сбегу, не крыса, не застрелюсь — не белая кость. Раз такое дело — отбуду свое. Не опоздаю на тот суд, где мы с Раей за все ответим. — Он кивнул на фотографии. — Ты веришь, что я не знал?

— Да верю, — с досадой сказал Земцов. — Толку-то. Такого хорошего человека — ни за что. Ребенка — в концлагерь... Только не рассказывай про старшую сестру и три минуты. У тебя было столько лет, чтобы научиться своими мозгами пользоваться. Не судьба.

Жалко только вашу Лидию Петровну. И ее Раиса обманула. А она вас в ладони принимала, чтобы не выскользнули, не упали…

— Лучше бы упали, — угрюмо сказал Алексей и похромал к своему подполу.

Глава 22

Вечером дома Дина внимательно выслушала рассказ Александра, посмотрела фотографии в его планшете и занялась собаками, ужином, уборкой. Ночью Александр обнял ее:

— Я соскучился, как зверь.

Дина ответила ему нежно и пылко. Утром она встала раньше, чем он, собралась и уехала в больницу к своей девочке. Там тоже все делала по порядку, по минутам, по уму… Старшая медсестра зашла, посмотрела, как она смазывает ребенку ранки и пролежни, рассмеялась:

— Если вдруг вам работа понадобится, Дина, мы ради вас уволим как минимум четырех криворуких. Не обидим по деньгам. Руки у вас такие разумные, сильные, точные и ласковые. Ребенок ни разу даже не скривился… Наоборот: вот улыбается.

— Предложение поняла, — кивнула Дина. — Буду иметь в виду.

Покормив девочку, она подождала, пока та уснет. Сама неторопливо прошла по коридору в маленький казенный туалет для сотрудников. Закрылась в одной из кабинок, села на крышку унитаза и заплакала — без звука и почти без слез. Глаза видели собственное сердце, которое пронзили те самые осколки зеркала. Она даже не представляла тогда, насколько это страшный знак. На всю жизнь, видимо. Она ведь все решила уже. Своего ребенка не обязательно родить. Его должна послать судьба. Что с ней и случилось. Дина ни на секунду не сомневалась, что родители девочки не найдутся. Она была в этом приюте два года. Никто не ищет после этого. И такое чудовищное совпадение. Людмила... А Вита смотрит глазами Вадима, как будто узнает ее, Дину. И что самое ужасное: эту чужую Виту Дине не заменит даже свой ребенок. И что дальше? Людмиле сидеть, но наверняка недолго. Раиса была не детоубийца, она хуже, она продавала беззащитных малышей на муки, насилие, издевательства... Да и убийца. Пусть не своими руками. Могильник нашли на заднем дворе. Просто сваливали трупики в яму, зарывали, закапывали. Так что у Людмилы есть серьезная причина. Но Виточка будет жить дочкой убийцы! Тут ей никак не поможешь. Пальцем будут показывать, соседки сплетничать, в школе обижать.

Дина вышла из кабинки, умылась холодной водой, потуже завязала косынку на голове. Вышла такой же спокойной, как вошла. У палаты ребенка ее ждал Александр.

— Дина, я привез документы по Вите и Людмиле. Заявления. Наше заявление об удочерении ребенка. Опека, разумеется, согласится после такой истории. А ты не хотела торопиться с оформлением брака. Но я знал, что с тобой надо быть во всеоружии и ко всему готовым. Состояние ребенка требует серьезного внимания. Мы свозим ее куда-нибудь. Я этот вопрос решаю. Родительских прав Людмилу лишат в процессе суда особым решением. Главная причина: пусть ее обманули, но она не пыталась искать дочь. Эта липовая справка с кладбища ее устроила.

— Я тоже не пыталась искать убийц Вадима... Столько времени. Просто не хотела, чтобы лезли в нашу жизнь, — задумчиво сказала Дина.

— Но он был убит на твоих глазах. По поводу девочки у матери должны былы сразу возникнуть вопросы... Это непростительно. И еще, Диночка. Такой тяжелый для тебя день. Убийцу Вадима арестовали. Это брат Раисы Чибиряк. Уже признался и даже выдал орудие преступления. Вадим после письма Людмилы к ним ездил. Он как раз пытался что-то узнать. В запале угрожал Раисе. Брат-близнец решил ее так спасти...

— На меня рухнуло небо, Саша. Если бы я тогда настояла на поиске убийцы, подключила бы кого-то... Этого близнеца бы сразу взяли, все бы раскрылось, и не я бы нашла Виту, не сейчас. Нам бы не пришлось отбирать у живой матери ее ребенка... Что мне делать с этими документами, я не поняла.

— Я подумал, что с нашей стороны будет порядочно, если мы Людмилу обо всем предупредим. И пообещаем, что будем хорошо растить ее дочь... Земцов дает нам свидание.

— Хорошо. Поехали. Девочка как раз спит. Подожди меня во дворе, я оденусь.

Их привели в крошечную комнату для свиданий, ввели Людмилу. Дина ее не узнавала. То же бледное худое лицо, но глаза — две раны, при этом они живые, открытые, ждущие, а не враждебные щели для прицелов во врагов, как тогда. Мать узнала, что ее дочь жива. Замучена, истерзана, но жива.

— Здравствуй, Люда, — сказала Дина, передала Александру папку с документами, подошла к Людмиле и обняла ее. — Поздравляю тебя. Вита поправляется. Сейчас покажу фотографии, уже на триста граммов поправилась. Я как раз удачно отпуск взяла. Можешь считать меня нянькой по особым поручениям. Старшая сестра сегодня меня похвалила. Говорит, на работу возьмем. Руки подходящие. Девочка улыбается. Она улыбается, твоя девочка, Люда!

— Ох ты господи боже ж ты мой! — хлынули слезы из глаз Людмилы. — Вот эти руки она похвалила?

Она схватила руки Дины и прижала к своему лицу.

В машине Дина и Александр, конечно, молчали почти всю дорогу. Потом Дина сказала:

— Я буду бороться за то, чтобы она получила свою дочь. И ты будешь за это бороться, если я тебе нужна.

— Да понятно, могла бы не делать таких страшных заявлений. Но все это кошмар. Хотя ты, разумеется, права.

Глава 23

Валерий Николаев зашел к Земцову попрощаться. Он уже был в костюме тысяч за пятнадцать баксов, с непременными часами — золото, масса бриллиантов, которые на российских ворах и казнокрадах всегда висят, как браслет с клеймом.

— Ну что, прощай, полковник Слава. Неплохо провели время, да?

— Неплохо, — согласился Слава. — До свидания, Николаев. Такая жизнь получается чудна́я штука, что лично я нашего свидания не исключаю.

— Не исключай, конечно, — весело рассмеялся Николаев. — За то тебе твой казенный грош платят, чтобы ты такие фантазии не исключал. Будешь в Германии — звони, приму как друга. Покажу, как люди живут. Понравился ты мне, если честно. Пригласил бы на работу, так ты же не пойдешь. Принципиальный небось.

— Киллером приглашаешь? — изумленно спросил Слава.

— Да дел у меня найдется на любой талант. Ну что, соврал я про то, что меня опередили? То-то же. Мне верить можно и нужно.

— Не соврал… Прошу прощения, мне нужно на суд по делу об убийстве Артема Марселя.

— Удачи. Сказать прикол напоследок? И тут меня, скорее всего, опередили. Этот Марсель многим был бельмо в глазу. А получилась вроде смешная история.

— Да, обхохочешься, — жестко сказал Слава. — Убит известный, полноценный и нужный обществу человек, а убийца — гениальный мальчишка, который рамсы попутал от дурной любви.

— И это мне в тебе нравится, — сказал Николаев. — К сердцу ты все близко принимаешь. Но совет напоследок: завязывай с этим. Ты что, плакальщица за три копейки — горевать по жмурикам? У тебя самого жизнь одна. И прожить ее надо… как надо. Так что подумай и звякни мне. Все перетрем. Тебе понравится.

...Странный то был суд. В зале сидели молчаливые люди — печальные и суровые. Сотрудники канала. Пострадавшей, а также главной свидетельницей обвинения была Дина. В зале было много журналистов. Дина подошла к своему оператору и сказала тихо:

— Ничего не снимай. Мы не будем давать этот процесс. Я просто объявлю минуту молчания.

Она изложила ситуацию, уложившись в несколько минут. Прокурор читал длинное и нудное обвинение. На фоне яркого и эмоционального обвинения самого себя, которое все уже услышали в объяснении Дениса, официальное заключение не прозвучало. Прокурор потребовал десять лет строгого режима. Адвокат произнес вялую, бессодержательную речь. После нее Денис обратился к судье:

— Разрешите уточнить, ваша честь...

И «уточнил», как показалось Славе, еще лет на пять. Напирал на особый умысел, долгую подготовку. Мать Дениса, довольно молодая по возрасту и почти старуха внешне, вообще не смогла говорить. Постояла, прижав носовой платок ко рту, махнула рукой и ушла в свой угол. Последнее слово Дениса было катастрофическим. Он сказал, что очень жалеет убитого им человека, но сам факт, что он так сознательно его убил, говорит о том, что в нем есть потенциал убийцы.

Судья уже собирался уйти в совещательную комнату, но ему передали записку.

— У меня тут просьба эксперта по делу Масленникова. Он просит дать ему слово. Разумеется, Александр Васильевич, мы вас слушаем.

— Я не собираюсь комментировать или опровергать ничего из того, что тут прозвучало. Это не входит в мою компетенцию. Я просто прошу вас, ваша честь, внимательно прочитать мое заключение после психиатрической экспертизы обвиняемого. Вы, конечно, поймете, что Василевский является человеком с феноменальными интеллектуальными возможностями. Я просил бы это учесть и указать в частном определении к приговору то, что ему нужны соответствующие условия содержания.

— О чем вы? О том, что человек, совершивший подобное преступление, должен быть освобожден от работы или может рассчитывать на более комфортные в отличие от других условия?

— Нет. Обвиняемый привык и к тяжелому труду, и к суровой жизни. Он — не лодырь, мягко говоря. Но ему, как никому другому, необходимо личное пространство, возможности для занятий и учебы. Не секрет, что в наших учреждениях студентам или ученым не дают книг или запрещают читать. Такое бывает. Это хотелось бы предупредить в процессе, сейчас. Я не беру на себя полномочий адвоката, не оправдываю ни в чем обвиняемого. Скажу простую вещь. Убит нелепо прекрасный, авторитетный деятель. Сейчас получит свой серьезный срок убийца. Но растоптать окончательно судьбу и будущее человека с такими невероятными способностями, человека, который только начал свою самостоятельную жизнь, мы не имеем права позволить. Это тоже преступление. Лично я беру на себя право контроля.

— И я, — встала в первом ряду Дина. — Право журналистского контроля.

— Да и я, — лениво поднялся Земцов.

— Что там творится? — посмотрел судья на входную дверь зала. Там раздавались возгласы, дверь приоткрылась, и в зал ворвалась Аня, которую пытались удержать два охранника.

— Меня не пускают! Мне сказали сюда не приходить! А это я убила Артема!

— Что-что? — переспросил судья. — Кому-то известна эта особа? Или это городская сумасшедшая?

— Это Аня. Она не сумасшедшая, — сказал Денис. — Но, конечно, она никого не убивала.

— Всем она известна, ваша честь, — с досадой сказал Земцов. — Это Синицына. С ней встречался Артем Марсель, а она окрутила мальчишку. Сказала убить соперницу, какой она считала Дину Марсель. Потом опровергла свои признания. Василевский тоже все опровергал с самого начала. Я просто исключил ее из расследования, когда понял, что там нет материала. Это одна истерика, что мы и видим.

— Синицына, — обратился судья. — Как вы можете подтвердить свои слова: вы давали Василевскому деньги как киллеру? Передавали оружие? У следствия нет подтверждения факта вашего заказа.

— Да, я все ему давала и передавала.

— Это можно проверить?

— Проверяли, — сказал Земцов. — Ничего она ему не заказывала. Просто чушь какую-то несла по телефону. Он понял так.

— Но я не по телефону говорила ему, чтобы он убил.

— В общем, понятно, девушка, — встал судья. — Вчера мне один сосед сказал, что нужно другого повесить на осине, поскольку он его место на стоянке занял. Но я почему-то не побежал никого вешать. Пейте валерьянку. Ваши показания не имеют ценности.

Когда судья ушел, Анна бросилась к стеклу, за которым стоял Денис, она стучала по нему кулачками, кричала:

— Отпустите его! Он ни в чем не виноват! Это я!

Денис смотрел на нее печальными глазами, как будто издалека. Так ему казалось: время, пространство и воздух раздвигают их с Аней по разные стороны земли.

Неотвратимо раздвигают. Навсегда.

Ему дали десять лет строгого режима. Частное определение насчет возможности заниматься по его усмотрению чтением и наукой было.

Все уже ушли: и судья, и прокурор, и адвокат, повели Дениса. А его мать вдруг закричала:

— Подождите, вернитесь, я забыла!

— Что такое? — подошел к ней Земцов.

— Я совсем забыла дать это, собиралась сразу, я очень испугалась, когда все началось.

Она протянула Земцову смятый листок, в пятнах от слез. Она все заседание держала его в руках и забыла отдать, чтобы приобщили к делу.

Слава взял, разгладил, взглянул: слово «канцер» сразу бросилось в глаза.

— Я из-за этого задержалась, не было никакого прорыва… Обследование.

— Стадия?

— Плохая. И года у меня нет. Не то что десять. Как их всех вернуть? Как им это дать?

— Сейчас это уже невозможно. Но я возьму, мы постараемся использовать, найдем адвоката, который напишет прошение об УДО, это условно-досрочное освобождение. Только, Нина Васильевна, мне очень жаль, но приговор эта справка не отменит. Может сказаться, на год-два меньше, но я не уверен.

— Тогда хорошо, что я это не дала и Денис не знает. Я вас очень прошу: не говорите ему. Когда я могу попрощаться?

— Завтра. У него будет звонок вам. Вы обо всем договоритесь. Желаю вам сил. Чудеса случаются — говорят в таких случаях.

Слава ехал в отдел по разрытой на двух полосах дороге, машина прыгала на обломках асфальта, и он бормотал про себя: «Черт, черт, черт...» Это относилось не к дороге.

Глава 24

Людмилу защищал адвокат Гродский. Материалы следствия были достаточно жестокими, одни фотографии изувеченной и умершей от побоев жертвы производили тяжелое впечатление.

Обвинительное заключение мрачная молодая женщина-прокурор читала, резко и четко выделяя каждую фразу. Потребовала восемь лет. Объяснение Людмилы, короткое и не особенно понятное, только ухудшило ее ситуацию. На уточняющие вопросы она отказалась отвечать. Представитель опеки заявила, что никаких доказательств того, что она не сама отдала своего ребенка профессиональной продавщице детей, в деле нет. Требовала лишения родительских прав в ходе процесса.

Дина была свидетелем защиты. Она, как всегда, коротко и в ярких деталях описала ситуацию с детским приютом Цуко. Рассказала, как нашла дочь Арсеньевой. Вывод сделала один.

— Скончавшаяся в результате избиения Раиса Чибиряк поставляла в этот концлагерь детей на постоянной основе. Охранник, полагаю, подтвердит в процессе по «приюту» свои показания о том, что она прекрасно знала, куда и на что продает детей. Это же показал ее брат-близнец, который детей отвозил. К тому же Раиса Чибиряк их воровала. И эти материалы есть. Украденные домашние дети найдены как среди выживших, так и в могильниках. Вот такого человека убила Арсеньева. У меня нет детей. Но когда я все это увидела, я била ногами владелицу приюта Цуко. В какой-то ситуации, может, и убила бы. Арсеньева — мать. У меня все.

Свидетелей обвинения было полно, как и на первом процессе садиста. Какие-то кумушки, многодетные родители, опекуны и просто непонятно кто. Они обходили вопросы, связанные с деятельностью Раисы, но высказывали самые экзотические версии того, как ребенок Арсеньевой попал к Чибиряк.

— Ах-ха-ха! — залилась смехом одна. — Надеюсь, наш суд не проведут на такой мякине. Так все будут продавать своих детей, а потом адвокат скажет, что они были не в себе, а потом они будут кого-то убивать, потому что «мать». Мы от таких «матерей» и спасаем.

Дина внимательно посмотрела на эту свидетельницу и поставила крестик напротив ее фамилии в списке свидетелей в своем айфоне.

Александр Гродский негромко и спокойно начал свою речь:

— Меня крайне удручает то обстоятельство, что на подобных процессах, связанных с куплей-продажей детей, — а это такой процесс, а не просто дело об избиении, повлекшем за собой смерть, — возникает явно организованная группа свидетелей. В одном случае это свидетели защиты, когда речь идет о насильнике и садисте, именно так мы вышли на Цуко, кстати. Иногда они свидетели обвинения, как в данном случае. Разрешите назвать вещи своими именами. Это защитники криминальной системы, которая многим приносит неплохие доходы. Мы обнаружили детей, проданных в деревни в рабство, это Маугли, только забитые и совсем ничего уже не понимающие от побоев и тяжкого труда. Мы обнаружили трупы замученных и многократно насилуемых детей. У меня небольшое слайд-шоу. Прошу разрешить. Это имеет отношение к данному делу. Раиса Чибиряк получала свою сумму достаточно регулярно. Даты часто совпадают с кражей найденных нами детей. Ее брат, Алексей Чибиряк, подозреваемый по другому делу, надеюсь, опознает детей, которые есть на этом слайд-шоу. Он их отвозил, возможно, правда, не зная куда.

Судья, немолодая женщина с недобрым, невыразительным лицом, просто кивнула. Фотографии, которые стали появляться на мониторе, повергли всех присутствующих в шок. Люди в буквальном смысле помертвели. У Людмилы совершенно белыми стали даже губы. Свидетели тихонько покидали зал.

Пока секретарь выключала технику, встала представитель опеки:

— Прошу прощения, но у меня есть мнение. Адвокат хочет эти кошмарные свидетельства использовать в качестве оправдания своей подзащитной. Мол, она убила плохого человека. Но все наоборот! Я настаиваю на лишении родительских прав. Она отдала ребенка преступнице. Она не потребовала предъявить ей тело. Ее удовлетворила фальшивая справка. Она, наконец, скрыла это от правоохранительных органов. Мне кажется, прокурор запросил слишком маленький срок.

— Я согласна с этим мнением, — отчеканила прокурор.

— Разрешите мне все же продолжить? — произнес Александр. — В этом зале есть люди, которые отказались свидетельствовать: просто не могут. Их легко заметить. Они плачут. У них украли детей. Кто-то из них заявлял и во многие инстанции, что легко проверить, как это сделал я, кто-то искал сам, все они не жили эти годы. В последнем ряду сидит отец, молодая жена умерла через три месяца после кражи их ребенка. Некоторые по сей день публикуют объявления, просят помощи в розыске детей, пропавших годы назад. Надеются на случайность, на каких-то свидетелей. Они бьются во мраке. Они налетели на стену системы, которая реально существует и о которой я уже сказал. Она не может существовать без покровительства отдельных представителей правоохранительных органов. Просто не может. Да такой «приют» нормальные соседи в нормальной ситуации бы сдали в первую же неделю участковому! Но это не произошло, мы видим их совсем в другом качестве. Они пришли заклеймить мою подзащитную, избившую до смерти поставщицу детей. Нормальные, разумеется, есть, я сам с ними разговаривал, и они в ужасе, но их нет в зале суда. Был отбор свидетелей, не знаю, на каком уровне. Скорее всего, нормальных людей просто запугали. Это называется: есть «крыша», как всем известно. А давайте посадим или хотя бы заклеймим позором всех плачущих в зале родителей, у которых украли когда-то детей, за то, что такие? За то, что проиграли такую войну. Как поется в одной песне: «Нас обыграли шулера». Мы все потерпевшие от этой системы, раз такое допустили.

А теперь по моему делу. Раиса Чибиряк была умелой, опытной преступницей. Людмила Арсеньева в ту ночь, когда у нее эта женщина украла ребенка, была в бессознательном состоянии. Она потому и наняла кормилицу к дочери, что после родов у нее появились приступы жестокой горячки. О чем сказано в ее медицинских документах. К тому же она очень тяжело переживала уход мужа к другой женщине. Мошеннице было не трудно обмануть одинокую несчастную женщину. Кстати, насчет «сама продала». Деньги Раисе платила как раз Арсеньева по шантажу. Она — состоятельный человек вообще-то. Родного ребенка за кусок хлеба ей продавать не нужно. А теперь давайте кричать ей: «Ату!», требовать страшного наказания. Разойдемся, довольные собой. Дело сделано. Порок наказан. На самом деле это чудовищная национальная забава — добивать слабого. Женщина узнала, что ее дочь жива. Она потрясена. И потому практически не защищается. Она вообще очень скрытный и сдержанный человек.

У нее никого, кроме этой дочери, нет на свете. Узнав в тюрьме, что Раиса Чибиряк скончалась, она и сама хотела покончить жизнь самоубийством, считая свою миссию выполненной.

Знаете, при такой позиции правосудия общество может отказаться от института киллеров. Правосудие заменит его за деньги общества.

— Адвокат Гродский, никак не привыкну к вашей манере выражать свои мысли. Что вы имеете в виду?

— Только то, что киллеры, маньяки, убийцы, мошенники, воры умеют, как никто, поймать человека на доверчивости, взять в момент трагической ошибки, личной драмы, болезни.

— Ужасные у вас сравнения, — сказала судья.

— А я согласна, — вдруг встала прокурор. — У меня ребенка увели недавно с детской площадки. Большую девочку, восемь лет. Я была в трех минутах, в магазине. Воровка такого наплела дочери, что та сама с ней пошла, ручку дала. Мне знакомая закричала: «Варя, твою дочку уводят». А она уже открывала дочери дверь машины. Я вцепилась в дочку, а эта умчалась, я даже номер не увидела. Потом всем своим звонила, и перехват объявляли, но как сквозь землю… Смотрела сейчас эти слайды, думала: как жалко, что у меня с собой тогда не было оружия. Я согласна с адвокатом Гродским. Никто из нас не застрахован от такого несчастья. Я могла бы сейчас смотреть на свою дочь. Срок — на усмотрение суда.

Людмиле дали три года общего режима. Земцов разрешил прощальное свидание Дине. Согласился, чтобы она привезла ребенка. Вита вошла в комнату для свиданий на своих ножках, крепко вцепившись ручкой в юбку Дины.

— Знаешь, — просто сказала Людмила. — Я только сейчас поняла, что счастье — это не сказки.

Глава 25

Юристы Людмилы Арсеньевой проделали гигантскую работу по сохранению ее бизнеса и оформлению пакета документов, согласно которым владелицей сети лавок деликатесов стала Виктория Вадимовна Арсеньева. Первоначальную идею с завещанием Людмила категорически отвергла.

— Вот этого не надо, — рассмеялась она. — Как только оно появится, меня грохнут тут, на зоне, и появится сколько угодно «наследников» с точно таким же завещанием, ни один суд не отличит. Плавали, знаем, у коллег это обычные ситуации. Сделайте все так, чтобы владелицей стала Вита, а я продолжу руководить, насколько это возможно, отсюда. Оформим генеральные доверенности на весь коллектив. Все остаются на своих местах, все делают свое дело. Нужно просто создать попечительский совет, в который должны войти Дина Марсель, временный опекун моей дочери, и ее муж, адвокат Гродский. Вот так к нам ни одна навозная муха не пролетит.

Людмила нормально переносила заключение. У нее, как и у всех состоятельных людей, были свои привилегии. Она могла заниматься делом. К ней всегда пускали юристов и нотариусов. Все получилось, как она хотела. Работала она в медпункте, помощницей старшей сестры. Работа чистая и несложная.

В коллективе у нее не было ни друзей, ни врагов, персонал считался с нею, да, собственно, и не был внакладе. Уверенная, спокойная, рассудительная, Людмила пользовалась авторитетом, унижения от своего положения не испытывала. Какое-то время сама мысль о том, что ее Вита жива и сейчас счастлива, что она обеспечила ее будущее, давала ей полное удовлетворение. Засыпая, она каждый раз вызывала в памяти картинку: в комнату для свиданий заходит маленькая, худенькая девочка, держится за юбку Дины и улыбается ей, Людмиле. Прямо сияет своими глазками-каштанами. Ей казалось, что она впервые в жизни стала так спокойно спать.

Потом как-то вошла в свою камеру, когда ее соседка что-то всем рассказывала и плакала. Эта женщина убила мужа за что-то. Двое детей остались с ее матерью. Вот она и рассказывала, что позвонила им, а дети сказали, что не хотят ходить в школу. Их там не только дети дразнят, но и учителя постоянно оскорбляют. Людмила не вступила в этот разговор, но в ту ночь не спала. Она думала о том, что рано или поздно Вита может встретиться с такой ситуацией. К утру решение было практически найдено. Нужно уехать. Лучше всего в другую страну. Да, конечно. Она ждала свидания, на которое Дина привезет Виточку, надо как-то приучать их обеих к этой мысли. Обеих… Ее дочь и Дина очень привязаны друг к другу. Это понятно. Дина ее спасла. И не совсем чужая. Она жена отца Виты. Но вообще-то тем более… Этой привязанности не стоит развиваться. Время летит быстро. Людмила свяжется со своими итальянскими партнерами. Все получится, она не сомневается.

Им дали два дня. Людмиле сотрудники учреждения купили к свиданию большую куклу, цветы, конфеты в коробках. Повариха напекла дома пирожков для них. Она украсила, убрала квартирку для свиданий и ахнула, когда они вошли. Людмила даже на Дину не смогла посмотреть — от ребенка глаз невозможно оторвать. Такая складная, такая красивая, уже совсем не худая девочка. Людмила всегда считала, что она не ласковая, но ей все время хотелось обнимать и целовать дочку. Она носила ее на руках в первый вечер. Дина сама решила, как они устроятся на ночь. Она привезла с собой и детскую постель, одеяло, все это положила на кровать в большой комнате рядом с подушкой Людмилы.

— А я там, в другой комнате, на диване устроюсь. Вы утром спите подольше. Я буду Виточке завтрак готовить. Нам я все готовое привезла.

Так они и расположились. Вита щебетала перед сном, называла Людмилу мамой. Людмила уснула, когда ребенок засопел. Она была в каком-то неземном блаженстве от этого родного и немыслимо приятного детского запаха. Проснулась рано от плача. Вита сидела на кровати и рыдала:

— Дина! Дина уехала! Она меня оставила! Где Дина, мама?

— Дина здесь, — спокойно сказала Людмила. — Успокойся, деточка. Она легла в другой комнате, чтобы приготовить тебе завтрак.

Вита посмотрела на нее несчастными, мокрыми глазами и сказала:

— Нет. Дины нет. Я тебе не верю.

— Не веришь — надо проверить, — постаралась весело сказать Людмила.

Она встала, взяла Виту на руки, и они пошли искать Дину. Нашли ее в крошечной кухоньке. Она готовила детский завтрак. Улыбнулась им, поздоровалась… А глаза у нее красные. Она все слышала. И был у них еще один чудесный, веселый день. Три родных человека. Только Вита глаз не спускала с Дины. Когда та выходила на полчаса, она теряла ко всему интерес. Людмила поняла, что Дина объясняет ребенку, что у нее есть мама, с которой она будет жить. И Вита с ужасом ждет этого момента.

— Как свидание? — спросили у Людмилы, когда она вернулась в камеру.

— Отлично, — ответила она. — Дочка у меня — красавица. Сейчас покажу фотографии. И такая умная. А сердце, как у взрослого… В смысле в тысячи раз лучше, чем у взрослого. Рай был бы на земле, если бы у взрослых были детские сердца…

ЭПИЛОГ

Людмилу освободили по УДО на год раньше.

Дина бежала по дорожке к полянке у дома. Там Вита обнимала огромную голову Лорда и что-то ему говорила. Он смотрел на ребенка очень внимательно, нюхал личико, ручки. Неподалеку крутился Клякса, как всегда, соблюдая дистанцию по отношению к Лорду.

Но все казалось ему настолько веселым, что он стал бегать за собственным хвостом. Дина потрепала голову Лорда, погладила Кляксу. Потом опустилась на колени перед Витой. Девочка крепко обняла ее за шею и даже закрыла от наслаждения глаза.

Дина тоже на секунду прикрыла глаза. Потом встала, показала на свои свертки.

— Чего я только не накупила, девочка. Я была в вашей квартире, там очень хорошо убрали, пришли коллеги твоей мамы. Теперь они и твои коллеги. Я купила вам очень красивое постельное белье — большой комплект для нее, и маленький, на твою кроватку, но одинакового цвета. Такого… Цвета светлой травы, и по несколько подснежников на всем. Ей набор разноцветных махровых халатов. Семь — на каждый день другой, представляешь? И тебе такие халатики и пижамки. Тебе больше. Вообще не считала, брала все, что тебе понравится. И, конечно, нарядное платье тебе. Вообще что-то невероятное. Даже не привезла, оставила там в коробке. И подарок. Так удачно получилось: мама возвращается в твой день рождения. Ты рада?

— Да, — улыбнулась девочка. — Я очень рада. Я только думаю, а как Лорд, Клякса и дядя Саша будут без тебя? Или они поедут с нами?

— Мы поедем туда вдвоем, Вита. А вечером я вернусь к дяде Саше и собакам. Они без меня действительно не могут. А ты останешься со своей мамой, мы ее ждем два года! Ты за это время стала совсем большой девочкой. Тебе завтра исполнится пять лет. И ты, конечно, уже все понимаешь. Мы это обсуждали. Я всегда буду рядом с тобой. Ты только позвонишь — и я отовсюду тут же к тебе примчусь. Как «сивка-бурка, вещая каурка», помнишь?

— Да, — упавшим голосом сказала Вита.

— Знаешь, сначала любые перемены кажутся трудными, потом понимаешь, что они к лучшему, особенно когда тебе всего пять лет.

Дина опять опустилась перед Витой на колени, опять прижала к себе.

— Мы сейчас позвоним твоей маме. Мы же теперь можем ей звонить!

На аллее за кустами стоял Александр в рабочей одежде, в которой он убирал сад, смотрел на эту сцену неподвижно и печально. Он, как и Вита, сомневался в том, что любые перемены к лучшему. За эти два года Дина не просто поставила ребенка на ноги, она не «воспитывает» ее в прямом смысле, она открывает в ней для нее лучшее, помогает стать откровенным, эмоциональным, сопереживающим и гуманным человеком. В ее пять лет. Людмила, конечно, очень любит дочь. Но она совсем другой человек. Замкнутый и, как ни крути, склонный к мстительности, агрессии. Конечно, она не будет обижать девочку, конечно, и у таких людей растут прекрасные дети. Она — очень порядочный в делах человек, не воровка, не жлобиха, справедливая. Но она другая! А у Виты уже есть материал для сравнения. Если у нее не получится сделать себя жесткой, умеющей забывать, она может быть несчастна... Они, возможно, тоже.

Дина уже набирала номер.

— Людмила, привет. Мы все в ожидании. Готовимся отмечать Виточкин день рождения и твое возвращение. Накупила я вам такого... Тебе понравится. Там девочки из лавки навели красоту. И продолжают наводить. Они всего и наготовят. Ты собралась? Отлично! Даю трубку Вите.

— Мама, здравствуй... Да, очень ждем. И Лорд, и Клякса ждут. И дядя Саша. Только ему Дина не купила красивый халат, как нам с тобой. Нам — одинаковые. Да... Я хочу путешествовать. Мы купим дом в Италии? Я знаю, где это. Дина мне показывала на карте. Там очень красиво, я видела на картинках в Интернете. Да. Я очень рада... Дина... Нет, не поедет с нами? Ну да, она сказала, что всегда будет приезжать по звонку. Хорошо, когда приедешь, договорим. Мы тебя обнимаем крепко-крепко.

Девочка отдала Дине телефон.

— Мама хочет нам купить дом в Италии, чтобы мы с ней там жили.

— Какая прекрасная мысль! Ты же знаешь, что это чудесная страна. Там тепло, красиво, весело…

— Дина, ты туда не сможешь приехать, как только я позвоню. Я видела по карте. Это далеко. А меня не пустят одну к тебе приехать. Мне так не нужно. Я не могу сказать маме, но мне не нужно.

Ужас у ребенка в глазах, слезы. Наверное, Людмила поспешила ей сказать. Надо было подготовить. Но ведь ей нужно сразу решить их драматичную, если не закрывать глаза на правду, ситуацию. Дина судорожно пыталась что-то придумать, какой-то невероятный выход. Она действительно практически невыездная из-за Лорда. И работа, все теперь так сложно без Артема. Александр в своих делах, не всегда может подменить ее дома, у него часто поездки, командировки. По звонку она сразу точно не явится.

Но ребенок есть ребенок. За эти годы Дина так научилась понимать Виту, так приспособилась заполнять чем-то ее страшные воспоминания, отгонять ее грусть… Через полчаса в саду опять звучал детский смех, суетился Клякса, улыбался Лорд. Александр пошел переодеваться к обеду.

— В кухню женщинам, детям и собакам — вход запрещен, — заявил он. — Я приготовил сегодня настоящий обед. Какой может приготовить только настоящий мужчина. Раньше не нюхать, не хватать, не пробовать!

— Ой! — захлопала в ладони Вита. — Дядя Саша так вкусно делает обед. Дина, не обижайся, но у него получается лучше.

— Это потому, что он не думает постоянно, что кому можно, что не очень. Но один раз можно всем. Я и сама люблю его обеды.

Вкусный обед с аппетитом ела только Вита. И собаки — тот же обед, но в своих мисках на полу.

* * *

Людмила уже собралась, со всеми попрощалась. Покурила под лестницей. Затем почистила зубы в туалете, чтобы запаха не было. Потом набрала номер Дины.

— Диночка, это опять я. Слушай, меня тут что-то прихватило... Да нет, ничего страшного, я же в медпункте работаю. Но завтра не приеду. Дай трубку Вите, пожалуйста.

— Доченька, — услышала девочка. — Я вдруг заболела. Приезд отменяется. Я заранее тебя поздравляю с днем рождения, думала, подарок уже в Москве куплю. Ну, потом... Хочу только сказать тебе. Помнишь, как ты ко мне первый раз пришла в тюрьму? На своих ножках, держалась за юбку Дины, улыбалась. Я подумала, вот оно, счастье. Ты — мое счастье. Запомни, что скажу. Если вдруг что-то случится, так и держись за Дину. Хотя это тебе и так понятно... Целую, я всегда буду с тобой.

Потом Людмила вошла в раздевалку медпункта, достала из своего шкафчика белый халат и косынку, переоделась, вошла в кабинет старшей сестры.

— Ой, Люда, — обрадовалась та. — Ты еще не уехала! Вот спасибо, что зашла. Подмени на часок. Я схожу домой — поем и детей покормлю. Замену тебе не нашла пока. Трудно, знаешь, найти такую...

Людмила улыбнулась, подождала, пока она уйдет, нашла на столике с лекарствами и шприцами самый большой шприц — двадцать миллилитров, и легла на топчан, покрытый белой простыней. Она закатала рукав на левой руке и точно, безошибочно ввела иголку в вену, неторопливо выпустив в нее весь воздух.

Она умирала, когда вернулась сестра. Та в ужасе смотрела на нее и на шприц.

— Напиши, что сердце. Или тромб. От счастья. Шприц выкинь. Это не определяется, ты знаешь. Я ведь на самом деле от счастья. Спасибо тебе за все, — успела сказать Люда.

* * *

Нина Васильевна, мать Дениса, постучала в кабинет Славы Земцова, затем робко вошла. Ее ждали не только Слава, но и эксперт Масленников. Они встали, пожали ей руку, Масленников быстро и цепко взглянул на ее лицо, отвел глаза. Осталось три месяца максимум...

— Как съездили? — спросил Слава.

— Да вот хотела, чтобы вы мне растолковали, как на самом деле. У Дениски ничего не поймешь. Он говорит: «Все нормально, хорошо». Но там не хорошо. Он похудел. То, что я привезла, ел с жадностью. Голодный он там. Но дали ему ноутбук. И он от него не отрывается вообще. Мы толком ни о чем и не поговорили... И я ему ничего не сказала о себе. Что с ним будет, когда он останется один на свете за этими решетками... — Она прижала платок ко рту.

— Нина Васильевна, — сказал Масленников. — Как вы помните, я на суде дал слово, что беру на себя контроль. Слава тоже взял на себя контроль. Журналистка Дина Марсель — тоже. Мы слово держим. И сейчас я перед вами отчитаюсь. Денис сказал вам правду: и нормально, и хорошо. Вот в таких тяжелых условиях. Но вы же знаете, что он у вас необыкновенный человек. У него такие вообще дела... В его записках и расчетах я обнаружил совершенно неожиданную вещь. Он ищет способ борьбы с раковыми клетками, такой метод, который не убивал бы и здоровые клетки, что, к сожалению, происходит при нынешнем лечении. Там такие неожиданные мысли для мальчика, который закончил только школу... В общем, сейчас я занимаюсь его зачислением на заочное отделение мединститута, в котором я заведую кафедрой. Я — не онколог, не могу даже по-настоящему оценить ценность его работы. Собственно, работы еще нет, это наброски. Но серьезные онкологи разных стран очень заинтересовались. И мой контроль теперь касается и его авторства. Грубо говоря, чтобы никто не украл идеи.

— Дениска хочет рак победить? — Нина Васильевна вытерла ладонью глаза. — Значит, победит. У него все получается. И сколько он будет это придумывать?

— Это зависит теперь далеко не только от него. Нужна площадка и люди. Серьезная лаборатория, люди разного профиля, самое современное оборудование. Скажу честно, сомневаюсь, чтобы в ближайшие годы мы могли найти на это финансирование. Но ученые Японии, Израиля, Нидерландов готовы предоставить ему возможность хоть сейчас. Проблема...

— Восемь лет ему еще сидеть...

— Да. Но не думаю, что столько придется сидеть. Как только работа его будет закончена на доэкспериментальном уровне, то есть изложена теоретическая часть, появятся варианты. Его могут обменять, выкупить, могут и освободить в связи с особой важностью исследований, что он проводит... Адвокат над этим работает.

— И сколько ему дописывать?

— Возможно, год.

— Жалко, что у меня нет столько времени.

— Очень жаль, — сказал Александр Васильевич. — Но... Знаете, я никогда не делаю прогнозов на будущее. Не гадалка, а совсем наоборот. Но в вашей невероятной ситуации я этот прогноз сделаю. Пройдет несколько лет, и ваш сын, Нина Васильевна, станет известным и состоятельным человеком. А затем он спасет миллионы людей, скорее всего.

— Масленников еще ни разу в жизни не ошибся, — пробормотал Земцов. — Можете ему поверить.

Женщина встала и вздохнула полной грудью. Она улыбнулась.

— Я знала это всегда. Конечно, только так... Когда будете ему сообщать про меня, потом... Скажите, что я все знала и была очень счастлива.

— Ох, елки, — вытер мокрый лоб Земцов, когда мать Дениса вышла. — Как-то меня вся эта история расцарапала, что ли.

— Я сказал ей правду, — произнес Масленников.

— Я знаю.

Нину Васильевну привез в квартиру Дениса водитель отдела Земцова. Она вошла в крошечную, уже очищенную до блеска квартирку, подошла к сверкающему окну, протянула руки вверх, к этим темнеющим небесным волнам.

— Спасибо, — сказала она им. — Не бросайте моего сына.

И тут, как подлый садист-убийца, напала на нее боль. Ее страшная, невыносимая боль. Она на четвереньках доползла до сумки, где лежали пять таблеток, которые ей выписывали после оформления каких-то дурацких бумаг, сидения в очередях, когда она изо всех сил старалась не потерять сознания. Она проглотила две. Подумала: «Хорошо, что не у Дениски. Хорошо, что это скоро кончится».

Когда боль стала тупой, а голова тяжелой, вдруг позвонил стационарный телефон. Нина Васильевна подумала, что это хозяйка, она ей по-прежнему платила за квартиру. И не узнала голоса. Вообще ничего сначала не поняла.

— Это мама Дениса? — раздался женский, какой-то слишком громкий голос.

— Кто спрашивает?

— Вы меня видели. Я на суд приходила. Аня Синицына я. Помните, я говорила, что это я его посылала убить? А мне не поверили.

— Помню.

— Я знаю, что вы к Дэну ездили. Я туда иногда звоню. Нет, не Денису, одному козлу. Он мне говорит про Дэна, я ему деньги на телефон кидаю. Как Денис?

— Хорошо, Аня. Все у него нормально. Он много работает. Ты меня извини, но я очень устала, плохо себя чувствую.

— Поняла. Я просто хочу сказать. Вы меня простите за все. За такое… Я правду говорила. Он ни при чем.

— Конечно, правду. Бог простит, Аня.

* * *

Анна вышла из такси у лавки восточных деликатесов, вошла и остановилась в изумлении на пороге. По центру зала стоял большой портрет Людмилы, перед ним гора темно-красных роз.

— Что это, Коля? — спросила она у охранника. — Я приехала, потому что Люда вроде сегодня возвращается.

— Беда у нас, Аня. Девочки расскажут. Мне нужно смотреть, чтобы только приличные люди сегодня приходили. Помянем коллективом, когда гости разойдутся.

В зале к Ане подошла самая симпатичная и улыбчивая официантка Людмилы. Она не улыбалась, на лице были только потрясение и горечь.

— Вот такие дела у нас. Не приедет больше никогда Людмила. Она умерла, собираясь домой. Сказали, сердце. Просто не выдержала счастья.

— Как такое может быть? Что это за ужас? Принеси мне чего-нибудь выпить…

Аня выпила чашечку саке, съела несколько ложек мороженого. Встала и подошла к портрету Людмилы.

— Ты что? — спросила она у него. — От какого такого счастья ты умерла? Так не бывает!

Потом повернулась к печальному менеджеру и требовательно заявила:

— Вы что тут устроили. Людмила — моя подруга. Я не позволю, чтобы в день ее смерти вокруг ее портрета ходили какие-то привидения. Она смотрит на ваши кислые рожи. Она для меня шоу собиралась ставить. Позови гитариста.

...Удивительная получилась сцена. На подиуме танцевала и пела Аня под музыку «Девушки из Нагасаки». Тонкая, длинноногая, какая-то нереальная, тающая в музыке фигурка. Она танцевала очень хорошо, а пела голосом низким и хрипловатым, как будто он треснул от слезы: «У ней такая маленькая грудь, а губы алые, как маки... Уходит капитан в далекий путь и любит девушку из Нагасаки»...

Все гости перестали есть, смотрели и слушали очень серьезно, сотрудники стояли замерев, женщины всхлипывали.

Аня замолчала, посмотрела в зал, на приличных гостей, отобранных Колей. И сразу увидела широкое, усатое лицо режиссера Никиты. Когда она шла к нему, Никита уже открывал рот, чтобы что-то ей приятное сказать. Но не успел. Аня взяла широкую пиалу с саке и нашлепнула на его физиономию. Получилось как раз по размеру и форме. Как в песочнице...

— Я помянула тебя, Люда, — крикнула она портрету и вышла из зала.

— Класс, — сказал ей охранник. — Так еще никого не поминали.

* * *

Дина горько плакала в ночном саду. Ушла, чтобы ее плача не слышали ни ребенок, ни собаки. Когда горячие руки Александра притянули ее за плечи, сказала:

— Люда… Ты же понимаешь, что это?

— Да, — ответил он. — Понимаю. Мне очень больно, потому что окончательно убедился в том, какой это сильный, страстный, целеустремленный человек. Заметь, я не говорю «была», она осталась в нашей Виточке. И вот о чем я думаю с тех пор, как пришла эта весть. Жизнь Людмилы, нам ведь пришлось ее в подробностях узнать, — это борьба: война, страсти, отчаянные поступки, преодоления. И любовь. Она любила Вадима, она очень любит свою дочь. И кусочек счастья, которое она действительно узнала благодаря тому, что ты нашла ее ребенка, боролась за то, чтобы девочка вернулась к матери. Хотя любишь Виту не меньше, я-то знаю. Все это было в степени такого напряжения и потрясения… Людмила пришла к выводу, что исчерпала свой жизненный ресурс. И да, это правда, то, что она в последней фразе сказала о счастье. Для такого человека логично все оборвать на этой ноте. И еще — это великое доверие к тебе, Дина, Людмила признала тебя матерью своего ребенка.

— Ох, — задохнулась Дина. — Я — мать. Как-то так получилось, что я тоже родила нашу девочку.

— Был счастлив присутствовать при родах, — серьезно произнес Александр.

КОНЕЦ

Глава 1

Психотерапевт Иван Кравцов сидел у окна в мягком плюшевом кресле. Из открытой форточки доносился уличный гул; дерзкий весенний ветер трепал занавеску и нагло гулял по комнате, выдувая уютное тепло. Джек (так его величали друзья в честь персонажа книги про доктора Джекила и мистера Хайда) чувствовал легкий озноб, но не предпринимал попыток закрыть окно. Ведь тогда он снова окажется в тишине — изматывающей, ужасающей тишине, от которой так отчаянно бежал.

Джек не видел окружающий мир уже месяц. Целая вечность без цвета, без света, без смысла. Две операции, обследования, бессонные ночи и попытки удержать ускользающую надежду — и все это для того, чтобы услышать окончательный приговор: «На данный момент вернуть зрение не представляется возможным». Сегодня в клинике ему озвучили неутешительные результаты лечения и предоставили адреса реабилитационных центров для инвалидов по зрению. Он вежливо поблагодарил врачей, приехал домой на такси, поднялся в квартиру и, пройдя в гостиную, сел у окна.

Странное оцепенение охватило его. Он перестал ориентироваться во времени, не замечая, как минуты превращались в часы, как день сменился вечером, а вечер — ночью. Стих суетливый шум за окном. В комнате стало совсем холодно.

Джек думал о том, что с детства он стремился к независимости. Ванечка Кравцов был единственным ребенком в семье, однако излишней опеки не терпел абсолютно. Едва научившись говорить, дал понять родителям, что предпочитает полагаться на свой вкус и принимать собственные решения. Родители Вани были мудры, к тому же единственный сын проявлял удивительное для своего возраста здравомыслие. Ни отец, ни мать не противились ранней самостоятельности ребенка. А тот, в свою очередь, ценил оказанное ему доверие и не злоупотреблял им. Даже в выпускном классе, когда родители всерьез озаботились выбором его будущей профессии, он не чувствовал никакого давления с их стороны. Родственники по маминой линии являлись врачами, дедушка был известнейшим в стране нейрохирургом. И хотя отец отношения к медицине не имел, он явно был не против, чтобы сын развивался в этом направлении.

Ожесточенных споров в семье не велось. Варианты дальнейшего обучения обсуждались после ужина, тихо и спокойно, с аргументами «за» и «против». Ваня внимательно слушал, озвучивал свои желания и опасения и получал развернутые ответы. В итоге он принял взвешенное решение и, окончив школу, поступил в мединститут на факультет психологии.

Ему всегда нравилось изучать людей и мотивы их поступков, он умел докопаться до истинных причин их поведения. Выбранная специальность предоставляла Джеку широкие возможности для совершенствования таких навыков. За время учебы он не пропустил ни одной лекции, штудируя дополнительные материалы и посещая научные семинары. К последнему курсу некоторые предметы студент Кравцов знал лучше иных преподавателей.

Умение видеть то, чего не видит большинство людей, позволяло ему ощущать себя если не избранным, то хотя бы не частью толпы. Даже в компании близких друзей Джек всегда оставался своеобразной темной лошадкой, чьи помыслы крайне сложно угадать. Он никогда не откровенничал, рассказывал о себе ровно столько, сколько нужно для поддержания в товарищах чувства доверия и сопричастности. Они замечали его уловки, однако не делали из этого проблем. Джеку вообще повезло с приятелями. Они принимали друг друга со всеми особенностями и недостатками, не пытались никого переделывать под себя. Им было весело и интересно вместе. Компания образовалась в средних классах школы и не распадалась долгие годы. Все было хорошо до недавнего времени...

Когда случился тот самый поворотный момент, запустивший механизм распада? Не тогда ли, когда Глеб, терзаемый сомнениями, все-таки начал пятый круг? Захватывающий, прекрасный, злополучный пятый круг...

Еще в школе они придумали игру, которая стала их общей тайной. Суть игры заключалась в том, что каждый из четверых по очереди озвучивал свое желание. Товарищи должны помочь осуществить его любой ценой, какова бы она ни была. Первый круг состоял из простых желаний. Со временем они становились все циничнее и изощреннее. После четвертого круга Глеб решил выйти из игры. В компании он был самым впечатлительным. Джеку нравились эксперименты и адреналин, Макс не любил ничего усложнять, а Елизавета легко контролировала свои эмоции. Джек переживал за Глеба и подозревал, что его склонность к рефлексии еще сыграет злую шутку. Так и произошло.

Последние пару лет Джек грезил идеей внушить человеку искусственную амнезию. Его всегда манили эксперименты над разумом, но в силу объективных причин разгуляться не получалось. Те немногие пациенты, которые соглашались на гипноз, преследовали цели незамысловатые и предельно конкретные, например, перестать бояться сексуальных неудач. С такими задачами психотерапевт Кравцов справлялся легко и без энтузиазма. Ему хотелось большего.

Чуть меньше года назад идея о собственном эксперименте переросла в намерение. Обстоятельства сложились самым благоприятным образом: Глеб, Макс и Елизавета уже реализовали свои желания. Джек имел право завершить пятый круг. И он не замедлил своим правом воспользоваться.

Они нашли подходящую жертву. Подготовили квартиру, куда предполагалось поселить лишенного памяти подопытного, чтобы Джеку было удобно за ним наблюдать. Все было предусмотрено и перепроверено сотню раз и прошло бы без сучка без задоринки, если бы не внезапное вмешательство Глеба.

Он тогда переживал не лучший период в жизни: родной брат погиб, жена сбежала, отношения с друзьями накалились. Но даже проницательный Джек не мог предположить, насколько сильна депрессия Глеба. Так сильна, что в его голове родилась абсолютно дикая мысль — добровольно отказаться от своего прошлого. Глеб не желал помнить ни единого события прежней жизни. Он хотел умереть — немедленно и безвозвратно. Джек понимал, что, если ответит Глебу отказом, тот наложит на себя руки. И Кравцов согласился.

К чему лукавить — это был волнующий опыт. Пожалуй, столь сильных эмоций психотерапевт Кравцов не испытывал ни разу. Одно дело — ставить эксперимент над незнакомцем и совсем другое — перекраивать близкого человека, создавая новую личность. Жаль, что эта новая личность недолго находилась под его наблюдением, предпочтя свободу и сбежав от своего создателя. Джек утешился быстро, понимая: рано или поздно память к Глебу вернется и он появится на горизонте. А чтобы ожидание блудного друга не было унылым, эксперимент по внушению амнезии можно повторить с кем-то другим[1].

Джек поежился от холода и усмехнулся: теперь ему сложно даже приготовить себе завтрак, а уж об играх с чужим сознанием речь вообще не идет. Вот так живешь, наслаждаясь каждым моментом настоящего, строишь планы, возбуждаешься от собственной дерзости и вдруг в один миг теряешь все, что принадлежало тебе по праву. Нелепое ранение глазного яблока — такая мелочь для современной медицины. Джек

[1] Читайте об этом в романах Татьяны Коган «Только для посвященных» и «Мир, где все наоборот», издательство «Эксмо».

переживал, но ни на секунду не допускал мысли, что навсегда останется слепым. Заставлял себя рассуждать здраво и не впадать в отчаяние. Это было трудно, но у него просто не оставалось другого выхода. В критических ситуациях самое опасное — поддаться эмоциям. Только дай слабину — и защитные барьеры, спасающие от безумия, рухнут ко всем чертям. Джек не мог так рисковать.

В сотый раз мысленно прокручивал утренний разговор с врачом и никак не мог поверить в то, что ничего нельзя изменить, что по-прежнему никогда не будет и отныне ему предстоит жить в темноте. Помилуйте, да какая же это жизнь? Даже если он научится ориентироваться в пространстве и самостоятельно обеспечивать себя необходимым, есть ли смысл в таком существовании?

К горлу подступила тошнота, и Джеку понадобились усилия, чтобы справиться с приступом. Психосоматика, чтоб ее... Мозг не в состоянии переварить ситуацию, и организм реагирует соответствующе. Вот так проблюешься на пол и даже убраться не сможешь. Макс предлагал остаться у него, но Джек настоял на возвращении домой. Устал жить в гостях и чувствовать на себе сочувствующие взгляды друга, его жены, даже их нелепой собаки, которая ни разу не гавкнула на незнакомца. Вероятно, не посчитала слепого угрозой.

Вопреки протестам Макса несколько дней назад Джек перебрался в свою квартиру. В бытовом плане стало труднее, зато отпала необходимость притворяться. В присутствии Макса Джек изображал оптимистичную стойкость, расходуя на это много душевных сил. Не то чтобы Кравцов стеснялся проявлений слабости, нет. Просто пока он не встретил человека, которому бы захотел довериться. Тот же Макс — верный друг, но понять определенные вещи не в состоянии. Объяснять ему природу своих страхов и сомнений занятие энергозатратное и пустое. Они мыслят разными категориями.

В компании ближе всех по духу ему была Елизавета, покуда не поддалась неизбежной женской слабости. Это ж надо — столько лет спокойно дружить и ни с того ни с сего влюбиться. Стремление к сильным впечатлениям Джек не осуждал. Захотелось страсти — пожалуйста, выбери кого-то на стороне да развлекись. Но зачем поганить устоявшиеся отношения? Еще недавно незрелый поступок подруги, как и некоторые другие события, всерьез огорчал Ивана. Сейчас же воспоминания почти не вызывали эмоций, проносясь подвижным фоном мимо одной стабильной мысли.

Зрение никогда не восстановится.

Зрение. Никогда. Не восстановится.

Джек ощущал себя лежащим на операционном столе пациентом, которому вскрыли грудную клетку. По какой-то причине он остается в сознании и внимательно следит за происходящим. Боли нет. Лишь леденящий ужас от представшей глазам картины. Собственное сердце — обнаженное, красное, скользкое — пульсирует в нескольких сантиметрах от лица. И столь омерзительно прекрасно это зрелище, и столь тошнотворно чарующ запах крови, что хочется или закрыть рану руками, или вырвать чертово сердце… Только бы не чувствовать. Не мыслить. Не осознавать весь этот кошмар.

Джек вздрогнул, когда раздался звонок мобильного. Все еще пребывая во власти галлюцинации, он автоматически нащупал в кармане трубку и поднес к уху:

— Слушаю.

— Здорово, старик, это я. — Голос Макса звучал нарочито бодро. — Как ты там? Какие новости? Врачи сказали что-нибудь толковое?

— Не сказали.

— Почему? Ты сегодня ездил в клинику? Ты в порядке?

Джек сделал глубокий вдох, унимая внезапное раздражение. Говорить не хотелось. Однако, если не успокоить приятеля, тот мгновенно явится со спасательной миссией.

— Да, я в порядке. В больницу ездил, с врачом говорил. Пока ничего определенного. Результаты последней операции еще не ясны.

В трубке послышалось недовольное сопение:

— Может, мне с врачом поговорить? Что он там воду мутит? И так уже до хрена времени прошло.

— Макс, я ценю твои порывы, но сейчас они ни к чему, — как можно мягче ответил Джек. — Все идет своим чередом. Не суетись. Договорились? У меня все нормально.

— Давай я приеду, привезу продуктов. Надьку заодно прихвачу, чтобы она нормальный обед приготовила, — не унимался друг.

Джек сжал-разжал кулак, призывая самообладание.

— Спасибо. Тех продуктов, что ты привез позавчера, хватит на несколько недель. Пожалуйста, не беспокойся. Если мне что-то понадобится, я тебе позвоню.

Максим хмыкнул:

— И почему у меня такое чувство, что если я сейчас не отстану, то буду послан? Ладно, старик, больше не надоедаю. Вы, психопаты, странные ребята. Наберу тебе на неделе.

— Спасибо. — Джек с облегчением положил трубку. Несколько минут сидел неподвижно, вслушиваясь в монотонный гул автомобилей, затем решительно встал и, нащупав ручку, закрыл окно.

Если он немедленно не прекратит размышлять, то повредит рассудок. Нужно заставить себя заснуть. Завтра будет новый день. И, возможно, новые решения. Перед тем как он впал в тревожное забытье, где-то на задворках сознания промелькнула чудовищная догадка: жизнь закончена. Иван Кравцов родился, вырос и умер в возрасте тридцати трех лет…

Содержание

Литературно-художественное издание

ДЕТЕКТИВ-СОБЫТИЕ

Михайлова Евгения

МОЕ УСЛОВИЕ СУДЬБЕ

Ответственный редактор *А. Антонова*
Редактор *И. Першина*
Младший редактор *П. Тавьенко*
Художественный редактор *С. Груздев*
Технический редактор *И. Гришина*
Компьютерная верстка *Г. Дегтяренко*
Корректор *Е. Родишевская*

В коллаже на обложке использованы фотографии:
number-one, Aptyp_koK / Shutterstock.com
Используется по лицензии Shutterstock.com

ООО «Издательство «Э»
123308, Москва, ул. Зорге, д. 1. Тел. 8 (495) 411-68-86.

Өндіруші: «Э» АҚБ Баспасы, 123308, Мәскеу, Ресей, Зорге көшесі, 1 үй.
Тел. 8 (495) 411-68-86.
Тауар белгісі: «Э»
Қазақстан Республикасында дистрибьютор және өнім бойынша арыз-талаптарды қабылдаушының өкілі «РДЦ-Алматы» ЖШС, Алматы қ., Домбровский көш., 3«а», литер Б, офис 1.
Тел.: 8 (727) 251-59-89/90/91/92, факс: 8 (727) 251 58 12 вн. 107.
Өнімнің жарамдылық мерзімі шектелмеген.
Сертификация туралы ақпарат сайтта Өндіруші «Э»

Сведения о подтверждении соответствия издания согласно законодательству РФ о техническом регулировании можно получить на сайте Издательства «Э»

Өндірген мемлекет: Ресей
Сертификация қарастырылмаған

Подписано в печать 14.07.2016. Формат 84x108$^{1}/_{32}$.
Гарнитура «Helios». Печать офсетная. Усл. печ. л. 16,8.
Тираж 9000 экз. Заказ М-1758.

Отпечатано в полном соответствии с качеством предоставленного электронного оригинал-макета в типографии филиала АО «ТАТМЕДИА» «ПИК «Идел-Пресс».
420066, г. Казань, ул. Декабристов, 2.
E-mail: idelpress@mail.ru

Оптовая торговля книгами Издательства «Э»:
142700, Московская обл., Ленинский р-н, г. Видное,
Белокаменное ш., д. 1, многоканальный тел.: 411-50-74.

По вопросам приобретения книг Издательства «Э» зарубежными оптовыми покупателями обращаться в отдел зарубежных продаж
International Sales: International wholesale customers should contact Foreign Sales Department for their orders.

По вопросам заказа книг корпоративным клиентам, в том числе в специальном оформлении, *обращаться по тел.: +7 (495) 411-68-59, доб. 2261.*

Оптовая торговля бумажно-беловыми и канцелярскими товарами для школы и офиса:
142702, Московская обл., Ленинский р-н, г. Видное-2,
Белокаменное ш., д. 1, а/я 5. Тел./факс: +7 (495) 745-28-87 (многоканальный).

Полный ассортимент книг издательства для оптовых покупателей:
В Санкт-Петербурге: ООО СЗКО, пр-т Обуховской Обороны, д. 84Е.
Тел.: (812) 365-46-03/04.
В Нижнем Новгороде: 603094, г. Нижний Новгород, ул. Карпинского, д. 29,
бизнес-парк «Грин Плаза». Тел.: (831) 216-15-91 (92/93/94).
В Ростове-на-Дону: ООО «РДЦ-Ростов», 344023, г. Ростов-на-Дону,
ул. Страны Советов, 44 А. Тел.: (863) 303-62-10.
В Самаре: ООО «РДЦ-Самара», пр-т Кирова, д. 75/1, литера «Е».
Тел.: (846) 269-66-70.
В Екатеринбурге: ООО«РДЦ-Екатеринбург», ул. Прибалтийская, д. 24а.
Тел.: +7 (343) 272-72-01/02/03/04/05/06/07/08.
В Новосибирске: ООО «РДЦ-Новосибирск», Комбинатский пер., д. 3.
Тел.: +7 (383) 289-91-42.
В Киеве: ООО «Форс Украина», г. Киев,пр. Московский, 9 БЦ «Форум».
Тел.: +38-044-2909944.

Полный ассортимент продукции Издательства «Э» можно приобрести в магазинах «Новый книжный» и «Читай-город».
Телефон единой справочной: 8 (800) 444-8-444.
Звонок по России бесплатный.

В Санкт-Петербурге: в магазине «Парк Культуры и Чтения БУКВОЕД»,
Невский пр-т, д.46. Тел.: +7(812)601-0-601, www.bookvoed.ru

Розничная продажа книг с доставкой по всему миру.
Тел.: +7 (495) 745-89-14.

ISBN 978-5-699-91195-0
9 785699 911950 >

Физиолог
кардиолог
Boruh
Zueker
кар. центр.
8-677-1333.

773-973-6100